MYSTÈRES À L'ITALIENNE

L'écrivain italien Dino Buzzati est né à Belluno en 1906. Après des études de droit faites à Milan (où son père était professeur de droit international), il se tourne vite vers la littérature. Très jeune, il écrit des poèmes. A vingt-deux ans, il est correspondant du Corriere della Sera *en Ethiopie, puis correspondant de guerre dans la Marine. A Milan où il a vécu, il a consacré son temps à écrire et à peindre — plusieurs de ses toiles ont été reproduites en France et Marcel Brion, dans* L'Art fantastique, *fait l'éloge du peintre Dino Buzzati. Son roman,* Le Désert des Tartares, *paru en 1949 en traduction française, obtient un très grand succès. Une de ses pièces,* Un cas intéressant, *adaptée par Albert Camus, a été jouée à Paris en 1956. Dino Buzzati est décédé à Milan en 1972.*

Pendant l'été 1965, Dino Buzzati, parti à la recherche de l'Italie mystérieuse pour le grand journal « Corriere della Sera », en ramenait une série de croquis pris sur le vif qui venaient, fort curieusement, agrandir le monde fantastique et magique auquel l'auteur du *Désert des Tartares*, désormais parvenu à la gloire, avait jusqu'alors habitué ses lecteurs.

De la misérable Mélinda, sorcière contre son gré, au fascinant docteur Rol, inspirateur de Fellini, en passant par l'amiral en retraite Aloisi, qui trompe l'ennui de ses vieux jours en appliquant à la lévitation d'objets familiers les recettes secrètes grâce auxquelles il a jadis tenu la flotte anglaise en respect, c'est toute une galerie de magiciennes au petit pied, de rebouteux illuminés, de jeteurs de sorts analphabètes, de prophétesses en mal de sainteté qui défile et délire le plus sérieusement du monde et dont — grâce au talent et à l'humour glacé de Buzzati — les trucs les plus minables prennent soudain une ampleur, une grandeur insoupçonnées.

ŒUVRES DE DINO BUZZATI

Dans Le Livre de Poche :

DINO BUZZATI

Mystères
à l'italienne

TRADUIT DE L'ITALIEN
PAR SUSI ET MICHEL BREITMAN

LAFFONT

Titre original :

I MISTERI D'ITALIA

© Arnoldo Mondadori Editore, 1978.
Pour la traduction française
© Éditions Robert Laffont, S.A., Paris, 1983.

PALPITATIONS A MINUIT :
IL Y A UN FANTÔME
DANS LA GRANGE

Belluno, juillet 1965.

JE suis assis tout en bas de l'escalier. A côté de moi, par terre, un chandelier en fer-blanc avec une bougie allumée. En face, une porte à deux battants faiblement entrebâillée.

C'est la porte de la vieille grange qui se dresse à côté de ma maison natale. Tout autour, la nuit de la campagne, et les souvenirs.

Bientôt, de l'autre côté de la porte, se manifestera l'esprit qui hante cette grange depuis les temps les plus reculés.

Peut-être.

Un fort beau et bien curieux livre, intitulé *Guide de la France mystérieuse*, édité par Claude Tchou — tout empli des légendes de France, de monuments énigmatiques, de monstres, de sorciers, démons, fantasmes et trésors cachés — m'a donné l'envie de raconter quelques-uns de ces mystères, grands ou petits, que l'on peut trouver également, et en quantité non négligeable, chez nous, dans cette antique et profonde nation qu'est l'Italie.

Et il m'a semblé tout naturel de commencer par l'endroit où je suis né. C'est là, en effet, que l'Italie commence pour moi, même s'il ne s'agit que d'un tout petit mystère, de ceux dont n'ont jamais parlé ni les journaux ni les chroniques.

Val Belluna n'est pas une terre de vocation pour la sorcellerie et les fantômes. Les gens d'ici n'ont guère l'humeur fantasque, la campagne et ses collines semblent plutôt bonasses.

Mais les montagnes l'encerclent. A l'exception du Schiara et du Pizzocco, ce sont des sommets peu propices aux exploits sportifs, bien qu'assez abrupts, sauvages et aux formes insolites. Ils provoquent une impression d'inconnu ; il en ressort des images romantiques, des chênes vétustes, des masures désertées, des échos de lointains coups de fusil, des sentiers accrochés aux ravines et qui soudain vont se perdre et mourir, des ponts vermoulus, des fumées solitaires, des promeneurs claudicants, des corneilles, des vallons sauvages, des éboulis, des rochers trop immobiles, des cimetières à l'abandon, embusqués à la lumière de la lune.

Au rez-de-chaussée, presque en sous-sol, se trouve une grande et longue cave à vin, avec ses cuves ténébreuses, les bottes, les outils de vendangeurs. Par-dessus, tout aussi grande, la grange. Et par-dessus encore, un immense grenier. C'est dans la grange qu'il a élu domicile.

Et puis aussi, derrière moi, se trouvent deux petites pièces où vit la gardienne de notre maison, nommée selon l'état civil Maria Pia Orzetti, la quarantaine, et qu'on appelle, Dieu sait pourquoi : Amabile. A cette heure, elle dort.

Il ne s'agit pas de l'esprit d'un de mes ancêtres mais plus prosaïquement de celui d'un vieux fermier, plus ou moins régisseur, du début du siècle dernier. En fait, la différence ne compte guère : même le dernier des manants, une fois désincarné, devient plus important qu'un archiduc en chair et en os.

Il est de notoriété publique qu'il se nommait Fontana, de notoriété publique qu'il roulait ses patrons et les autres paysans dans le calcul des mesures de maïs, ce pourquoi il fut condamné à demeurer là-haut, sur le lieu précis de ses malversations. Jusqu'à quand ?

Au temps de mon enfance, on me disait qu'on l'entendait souvent tripoter dans les tas de blé et de maïs, et faire rouler sur le plancher le cylindre de bois qui sert à niveler les boisseaux. Par la suite, on l'a entendu de moins en moins, comme s'il s'apprêtait peu à peu à nous abandonner. (Stupidités, n'est-ce pas ? Superstitions ridicules d'analphabètes, évidemment.)

Il semblerait, à ce que l'on prétend, que les esprits des morts perdent d'année en année de leur vitalité, de leur consistance, qu'ils maigrissent, se rapetissent, se font toujours plus chétifs, anémiés, pour finir par se dissoudre complètement. Comme s'il ne s'agissait pas d'âmes maintenues en cet état par le poids de leurs péchés, mais d'une simple trace, d'une empreinte, une image, une ombre laissée par quelque être humain et qui, en tant que telle, s'émousse avec l'usure du temps, s'épuise et s'abolit.

Onze heures dix du soir. Je suis seul. Aucune lumière dans les deux petites pièces derrière moi. J'avais prévenu Amabile de ma venue ; elle m'a préparé un siège et la chandelle, sans rire ni sourire de mon désir d'enquêter. Car elle y croit, elle aussi, à ces histoires, et prétend même que certaines nuits « Celui-là » fait un grand remue-ménage, plus particulièrement dans le grenier.

Toutefois, Amabile dort maintenant. Et cette maison toute proche où je suis né est close cette nuit, déserte, dans l'obscurité totale. Au-dehors, le clapotis d'une faible pluie sur les feuilles de la vigne sauvage qui grimpe sur le mur. Une auto

9

s'approche, s'éloigne. Le bourdonnement paresseux d'une mouche.

Emanuele De Bona, l'époux d'Amabile, s'est tué il y a un mois et demi dans un accident de motocyclette. Deux de ses vestes sont suspendues à côté de moi à une antique patère : l'une de toile bleue, l'autre de laine grise. Et dans le cellier, juste derrière la porte, la moto fatale est rangée sur son support habituel, à moitié recouverte d'une toile en piteux état.

Je l'ai remarquée tout à l'heure, quand je suis venu inspecter le baraquement vide : par terre, juste au milieu du cellier, une couche rectangulaire de maïs d'une épaisseur moyenne de quinze centimètres. Plus loin deux paniers, un balai de bruyère, le boisseau et son cylindre de bois, et rien d'autre. Un mille-pattes sort en silence de l'ombre projetée sur le mur par les deux vestes accrochées, et il se met en route horizontalement.

Il est onze heures vingt-cinq. Oui, je me trouve plutôt courageux. Jadis, je ne me serais sans doute pas risqué à venir ainsi seul la nuit, car il n'est pas question de plaisanter avec le fantôme du cellier. Il y a onze ans, en compagnie de mon cousin, par une nuit de septembre, installé comme aujourd'hui sur ce même palier, à la lueur de la chandelle, le cœur battant, je l'avais entendu, nous l'avions entendu déambuler[1] !

Onze heures trente et une. Le mille-pattes s'est déplacé à gauche de la porte, il s'est installé maintenant sur les lattes de bois tout de guingois qui recouvrent le dessous de l'escalier. La porte est encastrée dans des pierres crépies à la chaux mais à force d'y passer, de s'y frotter, de s'y heurter, on a fini par user le crépi et la pierre dénudée appa-

1. Cet épisode est relaté dans la nouvelle *Un esprit dans la grange*.

raît aux arêtes. Le bruit de la pluie, son tic-tac sur les feuilles. Est-ce vraiment le bruit de la pluie ? Ou quoi d'autre ? Ce tic-tac est-il à l'extérieur, à l'intérieur de la grange, ou en moi-même ?

La petite flamme de la chandelle, sans raison apparente, était parfois secouée à l'improviste de légers soubresauts.

Et cette présence de la nuit, qui s'installe et s'impose dans ma maison natale, peuplée de visages, de voix, d'instants à jamais perdus, cette sujétion solennelle et antique qui surgit du sang à coups redoublés.

La cloche d'une église lointaine sonne minuit. J'ai pris sur moi et me suis décidé à éteindre ma chandelle pour inciter « Celui-là » à se montrer. Mais je serre une torche électrique dans ma main droite, prêt à la déclencher. Ce lieu est devenu une caverne où le vol d'un moucheron ressemblerait au tonnerre. Que se passe-t-il en ce moment au Viêt-nam ? Les patrouilles nocturnes rentrent-elles à leur base, avec deux ou trois hommes en moins ? Et comment sera bientôt le crépuscule sur les gratte-ciel rougeoyants de New York ?

Minuit sept. Un petit coup, oui, un minuscule petit bruit de l'autre côté de la porte, là-bas au fond, ce n'est peut-être qu'un grincement banal, au demeurant ; ce n'est peut-être rien, non, ce n'est rien. Une auto, une autre auto : où courent-elles donc à cette heure, où vont-elles ?

A travers la lucarne grillagée de la cave, à ras de terre, l'obscurité du jardin perce entre les feuilles de la vigne sauvage. Mais elle est moins dense que ce noir d'encre dans lequel je me trouve noyé.

Il m'a semblé entendre un faible râle, régulier. C'est peut-être Amabile qui dort. Et j'ai pensé, de toutes mes forces : Esprit, si tu es là, montre-toi !

Cela aurait dû suffire. Mais le courage de m'exprimer à haute voix m'a manqué.

Minuit dix-sept. Au grenier, un faible et bref piétinement. Des souris. La pluie a cessé. L'appel lointain d'un chien. Et cette lucarne, au ras du sol, comme un regard phosphorescent.

Non, non, je ne peux m'y tromper : on marche. Un pas humain qui s'approche, qui se traîne, pesant. Et le cœur qui se serre et s'écrase sous les coups de l'épouvante.

Je comprends soudain. Toute peur s'efface. Ce pas ne vient pas de la grange mais résonne derrière moi, il vient de chez Amabile. C'est évident : Amabile, que j'avais prévenue de mes intentions, s'est levée pour venir voir elle aussi.

De fait, voici le grincement de la porte dans mon dos. J'allume ma lampe électrique, j'en dirige le rayon vers cette porte. Lentement, un des battants s'entrouvre. De l'autre côté j'aperçois tout un pan d'obscurité. Je ne vois pas Amabile mais je sais qu'elle est là, venue surveiller la situation. Et je lui dis :

— Oui, c'est moi. Bonne nuit !

Pas de réponse. Le battant de la porte se referme doucement. A nouveau ce pas traînant, qui s'éloigne et se perd dans le silence.

Ce fut ainsi que l'enchantement se brisa, le plus banalement du monde. Une heure moins le quart, il se fait bien tard désormais. Le vrombissement d'un avion, très haut dans le ciel. D'où vient-il, où va-t-il ? Un clic-clic qui se répète trois ou quatre fois au-dessus de l'entrée : gouttes d'eau sans doute. Adieu, vieux fantôme, symbole d'une époque heureuse et révolue de ma lointaine enfance, des histoires fabuleuses, de tout ce que je disais et entendais, des charmants dieux lares, des ancêtres que je n'ai pu connaître, de mon père, de ma mère, tu as fini par te diluer à ton tour dans le temps. Adieu, adieu donc.

Le lendemain matin, avant de m'en aller, je suis passé chez Amabile pour la saluer. La porte de la grange était fermée. J'ai appelé.

— Amabile, Amabile !

Un merveilleux soleil, tout blanc, resplendissait sur la prairie encore embuée de tempête. D'un coup, les montagnes délavées s'étaient rapprochées. Stupide caquetage des poules. Un paysan qui aiguise sa faux, et le bruit du frottement métallique qui se répand au loin.

Amabile s'est enfin montrée à sa fenêtre. « Ah, bonjour, Monsieur Dino ! Vous n'êtes donc pas venu, hier soir ? Je vous ai attendu jusqu'à onze heures. Et puis, vous voudrez bien m'en excuser, je suis allée me coucher.

— Bien sûr. Toutefois, vous vous êtes relevée pour venir voir, n'est-il pas vrai ?

— Moi ? Quand donc ? Il ne faut pas m'en vouloir : j'étais tellement fatiguée...

— Allons ! Je vous ai bien entendue marcher, j'ai même vu la porte qui s'entrebâillait !

Elle secoue la tête : « Oh, Monsieur Dino ! Vous aimez toujours autant à plaisanter... »

Un coq retardataire se met à chanter.

ETRANGES RECOINS
DE VENETIE

Vicence, juillet 1965.

L'ARRIÈRE-PAYS de la Vénétie est un lieu particulièrement mystérieux, sinon même l'endroit le plus mystérieux de toute l'Italie. Non que l'on y trouve en abondance fantômes, châteaux en ruine, objets et créatures envoûtants, vestiges ensorcelés, paysages inquiétants ou personnages énigmatiques. Tout au contraire.

Si la basse Vénétie se trouve à tel point mystérieuse, c'est justement parce que le mystère n'y est pas évident. Ici, la lumière du matin est signe de paix et de récoltes abondantes, celle de l'après-midi conseille et recommande de ne pas s'échiner au travail, enfin la lumière du couchant préfigure l'amour, annonce une nuit heureuse et un sommeil tranquille. Les maisons de Vénétie ne sont ni sombres ni sévères, elles semblent ne rien vouloir cacher. Les chemins, les places, les carrefours ne se montrent jamais équivoques ou menaçants. Et l'on pourrait croire que le mal s'y sentirait absolument dépaysé. Et pourtant, écoutez donc !

L'histoire de Madame Vittoria Manzan. « A Pomegliano, durant la dernière guerre, ma sœur Emmenegilda est tombée malade. Fièvre, douleurs, chevilles enflées, les médecins n'y comprenaient rien. Un beau jour — vraiment comme je vous le dis — voici qu'arrive une dame d'Arcade, avec des yeux exorbités de sorcière. Elle contemple ma sœur et annonce :

— Vous verrez bien si ce soir vous n'entendrez pas quelqu'un faire pipi dans votre chambre...

Et autres fariboles du même style. Le soir venu, on entend comme une fontaine qui coule. Nous avons d'abord cru qu'il pleuvait, et ouvert la fenêtre. Rien du tout... Deux jours plus tard, cette bonne femme est revenue et nous lui avons tout raconté. Alors, elle :

— La nuit prochaine, vous entendrez des cailloux frapper à votre porte.

La nuit arrive et l'on entend quatre à cinq cailloux qui dégringolent l'escalier... Plaît-il ? Est-ce qu'on les a retrouvés ? Non, il n'y avait rien... Encore deux jours plus tard, la voilà qui revient pour nous dire :

— Vous devriez vider l'édredon de ce lit.

Nous l'avons donc vidé. A l'intérieur, il y avait deux bouts de bois attachés en croix, ainsi qu'une espèce de pelote de grosse ficelle piquée de plumes et enfin deux baguettes avec encore des plumes attachées par du fil blanc. Aussi avons-nous brûlé l'édredon, avec tout ce qu'il avait dans le ventre. Et voilà qu'encore deux jours plus tard cette femme est revenue, pour conseiller à mon beau-frère de se rendre à Sant'Urbano di Godega chez une chiromancienne, de s'y faire tirer les cartes afin de savoir qui avait jeté un maléfice dans sa maison. Mon beau-frère se rend donc chez la cartomancienne qui lui dit d'allumer un grand feu et d'y jeter une pleine poignée de sel : alors la femme responsable du maléfice devait se présenter d'elle-même. De fait, sitôt le sel jeté, une dame du village est venue en visite. Mon beau-frère l'a enfermée à clef pendant une heure entière. Après quoi elle s'est sauvée et on ne l'a plus revue, de telle sorte que ma sœur a guéri... »

Bien que la République Sérénissime n'existe plus, l'empreinte de Venise subsiste encore sur tous les territoires qui lui ont appartenu. Il ne s'agit pas là d'une formule littéraire mais bien plutôt d'un phénomène physique dont n'importe qui peut prendre conscience. Ses caractéristiques sont la sagesse, la noblesse, l'élégance et une certaine lumière. On en aurait presque l'impression qu'en ces pays les populations du passé se trouvaient assez heureuses ; aujourd'hui encore survivent des bribes de cette influence bénéfique. Bref, il s'agit d'un territoire rassurant, où les cauchemars ne sauraient prendre racine. Ecoutez pourtant :

L'histoire de don Chiotto. Le très populaire consolateur des prisonniers, qui demeura jusqu'au bout auprès des condamnés du procès de Vérone — et que d'aucuns vénèrent déjà comme un saint — racontait à un de ses amis : « Cet après-midi, j'ai pris le tram qui va de Porta Nuova à la place aux Herbes. Je monte. Je m'assieds. Une voix : Bonjour, don Chiotto ! Je me retourne. Un homme est assis là que je connaissais parfaitement pour l'avoir rencontré en prison, un brave homme, sais-tu, qui s'était confié à moi à de nombreuses reprises. Mort il y a trois ans, si je me souviens bien... Oui, c'est cela, mort il y a trois ans... Nous avons bavardé un petit peu, lui m'expliquant que cela ne se passait pas trop mal mais me suppliant de ne pas l'oublier dans mes prières... Et puis, me voici arrivé à ma station. Je me lève et lui demande : « Tu descends aussi ? » Il se mit à rire : « Voyons, don Chiotto ! Vous savez bien ce qui se passerait. Vous m'offririez un café et moi — vous le comprenez aisément — je ne peux... »

La Vénétie est une région ultra-catholique, où les bonnes sœurs sont un peu plus souriantes que les autres bonnes sœurs d'Italie, les douceurs et les gâteaux qu'elles confectionnent un peu meilleurs. Ce qui n'empêche que, dans le secret des familles, on ne commette de nombreux péchés. Certaines personnes vont même jusqu'à prétendre que les péchés commis en Vénétie sont souvent plus étranges et pervers que nulle part ailleurs. La Vénétie est emplie de curieuses histoires de famille, échevelées, malsaines, dont on ne parle pas mais qu'on murmure (et qui affluent parfois dans l'œuvre de Guido Piovene). Ecoutez donc :

L'histoire des confessions. « A Fanzolo, le 26 mai, c'est la fête de la Madone du Caravage. On tend une grande bâche devant l'église, et la statue de la Madone est exposée sur un piédestal. Tout autour, la foule. Principalement des femmes agenouillées qui se frappent la poitrine et, au beau milieu, un personnage aux allures sinistres qui va de l'une à l'autre pour recueillir des aumônes. Et puis cette foule pousse en avant les possédées jusqu'à la statue de la Madone. Ah, si vous pouviez voir ce spectacle ! Des femmes qui crachent des clous, des femmes qui crachent des aiguilles et des épingles, celle-ci qui aboie, telle autre qui se met à miauler, telle autre enfin qui se roule à terre. Et puis elles s'en vont, pacifiées, comme de douces brebis. Je me souviens que la dernière fois, juste à côté de moi, se trouvait une espèce de malabar, un Hercule, une vraie puissance de la nature. Eh bien, quand les possédées ont commencé à vomir leurs diables, si vous aviez vu comme il s'est mis à trembler ! Il tremblait, il tremblait, et il s'est mis à pleurer comme un enfant... »

Des personnages extravagants se livrant à des activités extravagantes, la Vénétie en était pleine naguère.

Au demeurant, pourrait-il exister ville plus excentrique, plus inhabituelle, plus illogique, plus folle que Venise ? Dans chaque famille on vous y contera les curieuses aventures d'un oncle ou d'une tante, d'un arrière-grand-père ou d'une arrière-grand-mère. Avec le nivellement progressif des créatures humaines, ces aventures se font de nos jours de plus en plus rares. Ecoutez pourtant :

L'histoire du Mazzariol. « Ma grand-mère me racontait... » C'est Madame Casteller, de Nervesa della Battaglia, qui parle. Une dame posée et d'humeur toujours égale. « Ma grand-mère me racontait que, lorsqu'elle menait le cheval à la prairie, Mazzariol surgissait des buissons. C'était une sorte de gnome tout rouge, avec une queue et des cornes noires. Il tenait un petit seau à la main et sifflait sans arrêt... Une fois, mon papa aussi l'a rencontré, le Mazzariol, en pleine nuit, il était dix heures passées, alors qu'il allait à travers champs à la rencontre de grand-mère. Mais, sitôt qu'il a vu le Mazzariol qui gambadait çà et là, il n'est plus parvenu à retrouver son chemin. Il s'est mis à errer dans la campagne. Quand l'aube est venue, il tournait encore. Et puis l'Ave Maria a sonné, mon papa a entendu un ricanement, un long sifflement, et il s'est retrouvé sur la bonne route. »

Dans la plaine de Vénétie, il n'y a ni forêt ni bosquets sauvages. Les prairies ensorcelées des campagnes anciennes sont désormais apprivoisées et ne provoquent plus d'effroi, même lorsqu'elles sont laissées à l'abandon et envahies de mauvaises herbes. Aucun pont n'a eu le Diable pour constructeur. Les libellules ne mordent pas aux abords des fontaines. Rares sont les épouvantails. Ecoutez pourtant :

L'histoire du monstre de Castelbaldo. Depuis quelque temps, entre minuit et une heure du matin, de véritables théories de voitures venues des régions de Padoue, Rodigino, Vicence, Vérone se retrouvent aux abords d'un étang en rase campagne, près de Castelbaldo, arrondissement de Montagnana, pour écouter les terrifiants ululements d'un monstre, semblables à ces mugissements caverneux qui sourdent des tréfonds de l'eau ténébreuse. Il s'agit — c'est du moins ce que l'on assure — d'une sorte d'invocation désespérée qui ne dure que quelques instants. Et les imaginations s'en donnent à cœur joie. Serait-ce un dragon ? Un serpent lacustre ? Une gigantesque tortue ? A dire vrai, cette voix semble plutôt celle d'un bœuf. Mais comment un bœuf ferait-il pour vivre sous l'eau ? Les paysans n'ont pas manqué de sonder l'étang à l'aide de longues perches pointues, et ils n'ont trouvé que de grosses pierres ; ils ont versé du sulfate de cuivre pour empoisonner les eaux et contraindre la bête à se montrer. Sans résultat jusqu'à présent. Ce qui n'empêche quelques personnes avisées de parcourir les troupeaux de curieux en vendant rafraîchissements et sandwiches variés.

Les routes de la basse Vénétie, bien avant d'être recouvertes d'asphalte, étaient bordées d'alignements d'arbres renommés pour leur magnificence. Les routes secondaires étaient elles aussi en bon état et souvent flanquées de ces arbres majestueux qui offraient leur ombre aux voitures pour les protéger de la canicule. Même les chemins de traverse sont recommandables et il n'y a guère de danger, en écartant à l'improviste les épais branchages de leurs haies, de découvrir aux aguets un forçat évadé, le juif errant, ou un prêtre sacrilège à la soutane maculée de sang. Ecoutez pourtant :

L'histoire de la Lumiera. Un petit vieux, qui vit dans les faubourgs de Magliano — il se nomme Primo Pausaria — m'a assuré qu'au temps de sa jeunesse, quand il allait le soir en charrette attelée pour rencontrer sa fiancée qui vivait du côté de Molina dei Rosini, à Visnadello, il se retrouvait à un certain endroit face à face avec la Lumiera, une sorte de minuscule ectoplasme, limpide comme la lune. Et Pausaria de crier : « Sale bête, tu es encore là ? » Cette Lumiera se mettait alors sur le timon et éclairait la route jusqu'au pont de Brentelone, où elle s'arrêtait. Il n'y avait pas moyen de s'en débarrasser. A tel point qu'un soir le jeune homme perdit toute patience : « J'en ai tellement assez de toi que je vais te jeter une pierre si tu ne t'en vas pas ! » Avec, pour toute réponse, deux gifles magistrales dont il devait garder la trace sur le visage pendant plusieurs jours. Je lui ai demandé si, ces derniers temps, il avait revu la Lumiera. « Jamais plus », m'a répondu le vieux Pausaria. « Oui, ces choses-là arrivaient quand j'étais jeune. Mais tous ces esprits ont été relégués par le Concile de Trente... D'ailleurs, peut-être bien que tout cela venait du fait qu'on ne mangeait pas beaucoup en ce temps-là, et que la faiblesse vous faisait voir des choses qui n'existaient pas... » C'est le même Pausaria qui m'a raconté qu'avant la Grande Guerre, l'autre, au Pertuis des Fées, sur le Montello, on pouvait voir ces demoiselles vêtues de blanc comme des momies, avec des pieds de brebis, qui lavaient leur linge. Et puis même les fées ont été « reléguées par le Concile de Trente ».

Reconnaissons-le, les chemins de fer de Vénétie

ne sont pas plus solitaires et romantiques que ceux des autres provinces italiennes. Les ballasts et les rails qui traversent les campagnes déshabitées ne racontent ni plus ni moins de fables, n'exhalent ni plus ni moins de nostalgie qu'ailleurs. Et on ne peut dire des gamines des gardes-barrière qu'elles sont plus gentilles ou que leur visage est davantage couvert de taches de son qu'il n'est d'usage. Ecoutez pourtant :

L'histoire de l'employé des chemins de fer. « J'en connais d'aucuns à Vérone, m'a dit le peintre Carlo Guarienti, qui se passionnent pour le spiritisme. Un groupe d'amis. Ils m'ont conté une histoire épouvantable, j'en ai des frissons rien que d'y songer. Cela s'est produit il y a cinq ans. Un soir, dans un café de la place Bra, ils ont rencontré un employé des chemins de fer de leur connaissance, un discret médium. (Il est curieux de noter au passage la fréquence des médiums parmi les employés des chemins de fer.) Bref, ils se mettent à bavarder et conviennent d'une séance pour ce même soir. Une séance spectaculaire. Jamais cet employé des chemins de fer n'en avait tant fait. Et personne jusqu'alors n'avait assisté à des phénomènes aussi ahurissants. Bien. La semaine suivante, ces amis se retrouvent et disent : « Ce médium est dans une forme exceptionnelle, il faut en profiter. Organisons une autre séance, allons le chercher chez lui. » Ils se rendent donc à la maison de l'employé des chemins de fer, près du pont Garibaldi, sonnent à la porte. Une fenêtre s'ouvre, une femme y apparaît. « Qu'est-ce que c'est ? » « Nous voudrions parler à Monsieur F. G... » Le visage de la femme se ferme soudain, désespéré. « C'était mon mari, répond-elle. Il est mort il y a trois mois. »

La plaine vénitienne est une terre fertile, au tempérament serein, heureux. Les cloches sonnent souvent mais, contrairement aux habitudes, leur son est agréable à entendre. L'accent dialectal, apprécié des étrangers, est favorable aux rapports amoureux. En somme, une région fortunée. Et pourtant.

LE CARAMEL ENSORCELE
VOLE SUR QUATRE KILOMETRES

Trévise, juillet 1965.

J'AI demandé à mon vieil ami l'écrivain Bepi Mazzotti de me dire quelle était la personne ou la chose la plus mystérieuse qu'il connaissait en Vénétie. Peu de gens ont, comme lui, parcouru la Vénétie dans tous les sens, même dans ses recoins les plus obscurs, en regardant, en observant, photographiant, interrogeant, en furetant, détectant, découvrant.

Le phénomène Mazzotti, par lui-même, est déjà assez curieux pour l'Italie. Qu'un homme ait pu s'opposer à la marée déferlante de vulgarité, pour préserver ce qu'il y a de beau, d'honnête et de propre dans son pays, et gagner ainsi plus d'une bataille — souvenons-nous par exemple de la croisade pour la sauvegarde des vieilles demeures de Vénétie dont il a été le promoteur — est tout simplement incroyable en ce monde voué à la spéculation et indifférent aux valeurs spirituelles, quand il ne s'acharne pas rageusement contre elles ! Incroyable et réconfortant. Même dans les périodes les plus lugubres, l'Italie vous réserve toujours de ces heureuses surprises.

Mazzotti ne s'est pas du tout étonné de ma demande. Il m'a répondu : « Que ce soit la chose ou la personne la plus mystérieuse, je ne sais pas.

Quoi qu'il en soit... » Il est allé près du téléphone, a composé un numéro : « Suis-je bien chez Monsieur Lava ? Je suis Mazzotti, vous vous souvenez ?... Oui, avec le docteur Boccazzi, cette fameuse nuit... Vous êtes libre ce soir ? » L'autre était libre.

« Qui est ce Monsieur Lava ? » ai-je demandé.

« Un géomètre, brave homme. Un médium extraordinaire. »

« Non, merci. Les médiums ne m'intéressent pas. Je vous avouerai même qu'ils m'effraient un peu. Et puis, si leur guéridon m'annonce que je vais mourir le lendemain... J'ai peur, te dis-je. »

« Mais il ne s'agit pas d'une séance de spiritisme. Lava est un médium d'un genre très particulier. Au demeurant, c'est sans recours au moindre guéridon que je lui ai vu faire les choses les plus intéressantes... »

Il est venu dîner avec nous au restaurant. Il y avait également la femme de Mazzotti, Nerina, ainsi qu'une de ses amies, une fille de Conegliano, au prénom presque identique de Merina.

Ledit Monsieur Bruno Lava, 43 ans, habitant rue Nervesa della Battaglia, n'a absolument rien d'un illuminé, rien de ténébreux, d'ambigu, d'insolite, d'inquiétant. Il est grand, maigre, posé et fort aimable. De face, il ressemble à l'éditeur Aldo Martello. Même après s'être longuement entretenu avec lui, il serait bien difficile d'imaginer les facultés qu'il possède — à moins bien sûr que la conversation ne débouche sur ce sujet précis.

Il n'en tire aucune gloire et préfère d'ailleurs n'en point parler. Toutefois, si on le lui demande, il ne fait aucune difficulté pour s'expliquer et tout reconnaître.

C'est à l'âge de huit ans qu'il commença à manifester les signes d'une sensibilité anormale. Certaines de ses intuitions impressionnèrent ses parents : comme par exemple quand il prédit la mort prochaine de sa grand-mère, qui se portait alors parfaitement.

Mais ce fut seulement en 1942, c'est-à-dire quand il avait vingt ans, que se manifestèrent les premiers phénomènes directement provoqués par son intervention. A cette époque, il tomba en *transe* mais l'« esprit » — Lava croit en un au-delà d'où les âmes des trépassés peuvent revenir en notre monde — le tança vertement : pour pouvoir « dire la vérité » il lui fallait demeurer conscient et éveillé.

Depuis lors, il a toujours évité la *transe*. Les « esprits » ne pénètrent pas en lui, explique-t-il, et il ne leur sert jamais d'instrument ; c'est pourquoi il ne parle et n'écrit pas en leur nom. « Je demeure lucide, et maître de moi. »

Il s'exprime de façon précise, avec un certain détachement tranquille. Comme s'il s'agissait des choses les plus naturelles du monde.

Il me confirme une histoire impressionnante dont m'avait parlé Mazzotti. Un « esprit » invoqué par Lava avait prédit à un certain Valentino Prevedello, de Trévise, qu'il mourrait sous peu écrasé par un train. Dès lors, évidemment, Prevedello s'était bien gardé d'approcher chemin de fer, gares et passages à niveau. Ce qui ne l'empêcha pas d'être renversé et écrasé par un camion : un gigantesque convoi qui transportait un wagon.

Lava se rendit fréquemment au cimetière par la suite, pour rendre visite à Prevedello (c'est une habitude chez ce géomètre que de fréquenter nuitamment les cimetières et de s'entretenir avec les morts : à ce qu'il prétend, les cimetières, les vieilles maisons isolées sont les endroits les plus favorables pour l'usage de ses facultés).

Une fois Prevedello lui apparut en songe. « Si tu te rends au village de Chiodo vers minuit, lui dit-il, tu me trouveras. Mais tu ne dois pas te retourner. Il faut que je demeure derrière toi, sinon je ne parviendrai pas à me matérialiser. »

Et il y alla ?

« Bien sûr que j'y suis allé. C'était la nuit. Il arrive soudain derrière moi. Je l'entends marcher. J'avais parfaitement conscience de sa présence. Comme une rafale d'air glacé. Alors je me retourne, et j'aperçois une masse oblongue, informe, plus sombre encore que l'obscurité...

« Une autre fois, j'étais avec des amis et nous l'avons vu traverser un champ. L'instant d'après il apparaissait sur le pont de la Piavesella. Il devait être vers dix heures. La lumière d'une lanterne l'illuminait de plein fouet. Il était normalement vêtu et fumait une cigarette. Toutefois, ses pieds ne touchaient pas terre. Appuyé des deux mains au parapet, il oscillait comme un pendule. Et puis, soudain, il a disparu. »

Fort malencontreusement, les prophéties des « esprits » sont presque toujours funestes. Pendant une séance, le maître de maison sent soudain quelque chose d'humide. On allume les lampes. C'était du sang. On refait l'obscurité, et voilà qu'une automobile miniaturisée, un joujou, tombe sur le guéridon, elle aussi couverte de sang ; et tout de suite apres un petit chien de faïence, minuscule. Un mois passe et un certain docteur Basset — qui n'avait pas voulu participer à la séance par peur de mauvaises nouvelles — meurt d'infarctus au volant de son automobile.

Ainsi donc, jamais de pronostics plaisants ? Jamais de numéros du loto ? Si, une fois. C'était un vendredi et l'« esprit » promit qu'il donnerait une série de cinq chiffres mais dans une enveloppe fermée qui ne devrait pas être décachetée avant le lundi suivant, faute de quoi un malheur surviendrait. On mit dans l'enveloppe une feuille de papier et un bout de crayon. Le lundi, on ouvrit. Le crayon avait inscrit les cinq numéros sortis vainqueurs au loto de Venise, le samedi précédent.

Lava assure qu'un soir, à l'improviste, la force de gravité s'est annulée en lui. Et il s'est retrouvé plaqué au plafond. On allume, on tente de le faire redescendre, on y parvient et on le ramène sur le sol. Mais à peine est-il lâché, le voilà qui se remet à léviter, et se retrouve tout en haut. Jusqu'au moment où, en pleine ascension, le phénomène paradoxal cesse brusquement et Lava retombe lourdement sur le plancher d'une hauteur d'environ deux mètres.

L'expérience la plus extraordinaire qu'il dit avoir connue s'est déroulée pendant la guerre. Il était artilleur dans un détachement commandé par un colonel allemand. Le 8 septembre, il fut déclaré prisonnier et demanda une entrevue au colonel qui connaissait ses mystérieux pouvoirs. « Je dois rentrer chez moi, dit-il. C'est écrit. Dans quatre jours je serai à la maison [1]. » Le colonel le regarda tristement. « Toi, peut-être, tu retourneras chez toi. Pas moi. Quoi qu'il en soit, il m'est impossible de te libérer : j'ai des ordres précis. » On se mit à transporter les compagnons de Lava, par petits groupes, en camionnette. Quand vint son tour, il se cacha derrière la porte du baraquement et invoqua un de ses « esprits ». « Comment peux-tu me sauver ? » Des coups sourds contre le mur lui répondirent. Ils disaient : « Prends ton fusil. » Lava murmura : « Mais il n'y a pas de fusil ici ! » Réponse des battements : « Dans la petite armoire en bois. » Il ouvrit l'armoire et trouva un

_____

1. Le 12 septembre 1943, Mussolini, interné dans les Abruzzes sur l'ordre du roi, était délivré par un commando de SS (N.d.T.).

fusil à l'intérieur. « Et maintenant, qu'est-ce que je fais ? » Réponse de l'« esprit » : « Habille-toi en tenue réglementaire et sors... » Lava se mit en tenue de marche, avec sac au dos et paquetage, son casque, son fusil et tout le barda. Il traversa la grande cour, franchit le portail et la sentinelle répondit à son salut. Du coin de l'œil il aperçut le colonel allemand, debout, qui le regardait. Le colonel ne broncha pas.

... Ainsi vint la fin de notre repas. Me souvenant de certaines curiosités racontées par Mazzotti, je proposai une promenade dans un cimetière. Je n'avais jamais assisté à des phénomènes de spiritisme, et n'y croyais d'ailleurs que fort modérément. Nerina Mazzotti suggéra le cimetière abandonné de Silea, à environ quatre kilomètres de Trévise. Nerina Mazzotti est au-dessus de tout soupçon. A l'évidence, l'hypothèse qu'elle ait pu être un quelconque compère ne tient pas.

Le cimetière de Silea dormait dans l'ombre sous les étoiles. Notre auto s'arrêta devant le guichet d'entrée, hermétiquement clos. A notre descente dans la rue, il ne passait âme qui vive. D'un côté, le mur d'enceinte du cimetière, plus ou moins en ruine, avec des brèches d'où jaillissaient des entremêlements de buissons touffus ; de l'autre côté, la campagne obscure.

Nous avons ramassé sur le bord de la route quelques cailloux, que nous avons lancés de l'autre côté du mur funéraire. Il ne s'est rien passé.

Lava se trouvait avec nous, nous étions parfaitement à même de contrôler tous ses mouvements. J'ai jeté un autre caillou, le bruit de sa chute ne m'est pas parvenu.

« Aïe ! » La jeune fille de Conegliano poussa un cri. Sa main droite, qui tenait une torche électrique éteinte, venait d'être frappée par un petit caillou. Nous avons ramassé ce dernier. Il était facile à reconnaître, tant sa forme était caractéristique. C'était une des premières pierres que nous avions lancées dans le cimetière, à peine deux minutes plus tôt.

Trois autres cailloux, en retour, sont tombés sur l'asphalte. Alors Mazzotti a tiré de sa poche un jeton de téléphone, qu'il a jeté de toutes ses forces. Nous avons entendu son tintement sur les murs du guichet d'entrée. Et presque aussitôt un bruit métallique sur l'asphalte. Le jeton était de retour. Et deux fois de suite encore le même manège.

La demoiselle de Conegliano a tiré de son sac à main un caramel tout rouge, un bonbon anglais (le seul qu'elle avait) et l'a donné à Lava pour qu'il le jette. Lava — nous l'avons tous distinctement remarqué — a aplati les deux bouts de la papillote pour diminuer la résistance de l'air et a lancé le caramel. Qui n'est pas revenu.

C'était un jeu fascinant mais par trop sinistre. Même sans éprouver aucune peur, j'en avais assez. On s'en va ? On s'en va.

De retour à Trévise, au moment des séparations, Nerina Mazzotti a proposé une séance avec guéridon. Mazzotti et moi ne nous montrions guère enthousiastes. « Si on fait ça à la maison, disait Mazzotti, on trouvera ensuite plein de bibelots cassés ! » « Bon, on se mettra dans la cuisine », répliqua sa femme.

Nous nous sommes donc assis dans la cuisine, autour d'une vieille table à quatre pieds, ovale, en noyer massif, très lourde. Nous avons éteint la lampe. Un peu de lumière filtrait par l'entrebâillement de la porte donnant sur le jardin.

Je tenais la main gauche de Lava, Mazzotti la droite. La table a presque immédiatement commencé à s'élever, semblant animée d'une force invisible.

« Si tu es là, frappe un coup », dit tranquillement Lava. Aussitôt un pied de la table frappa le carrelage avec une fougue rageuse.

Imperturbable, Lava s'est mis à discuter avec son « esprit » : « Est-il vrai que se déroulent parfois certains phénomènes inexplicables ? »

D'un curieux mouvement rythmique accéléré, la table répondit aussitôt : « Oui, mais c'est mal. »

Lava : « Alors, esprit, veux-tu bien dire qui tu es ? »

Immédiatement quelque chose est tombé sur la table. « Un caillou », a mumuré Lava. « Allumons », dit Nerina Mazzotti. Nous avons allumé : ce n'était pas un caillou. C'était un bonbon, rouge, un caramel anglais. Sur un côté, on pouvait voir une petite souillure de terre.

C'était invraisemblable, affolant. Je ne parvenais pas à découvrir la moindre présomption de tricherie. J'avais vu, de mes yeux vu, le caramel passer de l'autre côté du mur du cimetière. Je m'enquis : « Mais comment a-t-il pu venir du cimetière jusqu'ici ? En volant dans les airs ? Et comment a-t-il fait pour traverser les murs de cette maison ? »

Et Lava, le plus tranquillement du monde : « Ce caramel ne s'est pas déplacé dans l'espace. La matière ne peut passer à travers la matière. Dans ces cas-là, c'est l'espace-temps qu'elle traverse. Mais, évidemment, vous ne pouvez comprendre. »

FELLINI,
PREPARANT SON NOUVEAU FILM,
A FAIT D'EFFRAYANTES RENCONTRES

Rome, août 1965.

FEDERICO FELLINI est actuellement en Italie la personne la plus chargée de mystères.

Dans le cadre de la préparation de son film *Juliette des esprits,* il a bourlingué d'île en île pendant plus de deux mois pour rendre visite aux personnages les plus étranges et les plus totalement invraisemblables : mages, devins, sorciers, médiums, astrologues, métapsychopathes, chiromanciens, et autres dépositaires de pouvoirs occultes. Il s'en est gavé, jusqu'à saturation.

Il n'avait d'ailleurs pas l'intention de se servir de ces personnages pour son film. *Juliette des esprits* n'est nullement, sous couvert de fantastique, un documentaire sur les prodiges. C'est une fable inventée de toutes pièces, tant pour l'histoire, les personnages que l'environnement. De tous les mages rencontrés par Fellini, le seul qui apparaissse en chair et en os est Genius (prononcer « Djinious » à l'anglaise), ce déconcertant et pittoresque devin romain, qui rappelle irrésistiblement le célèbre couturier Schubert par sa façon de s'habiller et de se comporter.

Ce pèlerinage a seulement servi à Fellini de préparation psychologique indirecte. Le contact avec des créatures ab-normales donnait en quelque sorte une impulsion à cette charge magique que Fellini ressentait déjà en lui-même, de la même façon que certains écrivains ont besoin d'écouter de la musique pour clarifier leur pensée. A en juger par le résultat, le système a parfaitement fonctionné. Dans *Juliette des esprits,* que j'ai eu la chance de visionner en projection privée, le climat d'ensorcellement, d'attente, d'inquiétude, est toujours à son comble, avec une éblouissante variété de motifs et de fantasmagories.

Cela n'empêche pas Fellini, cherchant à minimiser son exploit, d'en parler avec une certaine prudence. Bien évidemment, ce cinéaste ne manque pas d'une grande confiance en soi. Jamais sinon il ne se serait lancé dans une telle entreprise. Mais, maintenant que le film est terminé, son *understatment* instinctif entre en jeu dès qu'il en parle. Sa grande classe, même en tant qu'homme, se révèle aussitôt par cette désarmante et toute naturelle simplicité. S'il fallait un exemple pour confirmer que talent et cuistrerie ne peuvent aller de pair, en voici bien un — évident.

Et maintenant, parmi tous ces personnages de l'Italie magique, lui ai-je demandé, quel est celui qui vous a fait la plus forte impression ?

Pour la plupart, même quand il s'agissait de phénomènes notoires, ils n'avaient rien d'exceptionnel. Toujours les mêmes tables tournantes, les mêmes explications des lignes de la main, les mêmes lectures de cartes, les mêmes interprétations des astres, les mêmes opérations thaumaturgiques. Avec des résultats curieux, et parfois tout à fait impressionnants. Mais, à tout prendre, rien qui ne sorte vraiment du répertoire traditionnel.

Pour bon nombre d'entre eux ces mages, ou soi-disant mages, semblaient avoir perdu toute personnalité, comme s'ils se trouvaient possédés par une puissance extérieure à eux-mêmes. De sorte qu'ils apparaissaient comme particulièrement stupides, ou absolument infantiles et même inexistants en tant que créatures humaines. Ils se comportaient comme des automates, sans même tenter d'interpréter ce qu'ils faisaient.

Fellini me cite toutefois Pasqualina Pezzolla, de Porto Civitanova, qui parvient à « voir » à l'intérieur du corps humain comme si les viscères se trouvaient entièrement à découvert, exposés en pleine lumière. « Elle a l'air d'un Macario[1] habillé en femme, raconte Fellini. C'est une ancienne paysanne totalement ignare mais douée d'une écoute remarquable ; elle mélange gaillardement des expressions d'une grande vulgarité et un jargon médical plus ou moins bien digéré qui fait une certaine impression à sa clientèle. On vient parfois la consulter de très loin, et il y a toujours une telle foule en attente devant sa maison que certains campent même dans la rue pour ne pas perdre leur tour. Comment Pasqualina fait-elle ses consultations ? Elle s'assied, regarde fixement son client, avec une respiration de plus en plus haletante. En somme, elle tombe dans une sorte de brève transe. On la voit se transformer. Même son visage semble s'affiner. Elle se met la main en visière au-dessus des yeux, comme pour se protéger de la lumière. Elle se lève enfin. On entend un bredouillis de formules magiques. Elle se rassied, est prise par deux ou trois violentes secousses. Elle sourit. Elle est prête et commence à parler : Je trouve votre estomac un peu trop déplacé vers le bas ; vous avez trois calculs dans la vési-

---

1. Macario, célèbre acteur comique des années cinquante (N.d.T.).

cule biliaire, un gros et deux petits... Comme si ses regards étaient des rayons X. »

Il me parle également longuement de « l'oncle Nardu », un curieux vieillard qui se transformait en cheval. Il vivait dans une masure des faubourgs de Nuoro. Fellini s'y rendit en compagnie d'un petit abbé en quête d'une âme à sauver. Parvenus à la demeure de l'oncle Nardu, il leur fallut attendre deux heures, car le bonhomme ne voulait pas leur ouvrir. A la fin, la porte s'ouvrit toute grande et l'oncle Nardu apparut : un petit vieux de soixante-dix ans, d'aspect tout à fait quelconque. Sitôt qu'il vit le prêtre, il fit le signe de croix. Et il les accueillit d'une façon tout à fait obséquieuse. Mais le prêtre le tança sévèrement : « Vas-tu finir par te convertir ? Vas-tu cesser de te transformer en bête ? Tu pourrais finir en enfer sinon ! » Et l'autre de dire oui-oui, il se repentait, il promettait de ne plus le faire, éclatait en sanglots. Pour empêcher le prêtre de lui casser complètement ses projets, Fellini préféra intervenir. « Bien sûr, oncle Nardu, tu dois te convertir, dit le cinéaste. Je suis même venu de Rome tout exprès pour en parler avec toi. Toutefois, pour te prouver sa grande bonté à ton égard, l'Eglise t'autorise à devenir cheval encore une fois, une seule. » A ces mots l'oncle Nardu parut revivre. Il eut un grand rire et se mit subitement à parler avec une telle vitesse qu'on ne comprenait plus ce qu'il disait : il semblait enfiler bout à bout des mots sans aucun rapport entre eux.

Et soudain il se mit à hennir, pas à émettre des sons imitant le hennissement mais à hennir vraiment, comme un cheval. Dans le même temps, une monstrueuse métamorphose s'opérait en lui. Son visage devint un museau, le museau s'allongea à vue d'œil, prenant un aspect chevalin. Ses yeux s'étaient agrandis, noircis, exactement comme des yeux de cheval. Ses oreilles s'étaient dressées jusqu'à dépasser le sommet de son crâne. Et il sembla à Fellini que même le corps du vieillard avait un je ne sais quoi d'un poulain. Alors, poussant toujours ses grands hennissements de joie, l'homme-cheval se mit à ruer furieusement. Et le petit curé de réciter les formules sacrées de l'exorcisme ! Jusqu'à ce que l'autre se fût calmé, reprenant en quelques secondes son aspect humain.

A la fin de cette scène inhabituelle, Fellini demeura pour bavarder avec l'oncle Nardu. « Explique-moi donc, s'enquit-il, pourquoi il te plaît tant de te transformer en cheval... » « C'est que le cheval est bien meilleur, plus honnête que les hommes, répliqua le vieillard avec passion. Rien n'est plus beau qu'un cheval. Et c'est pour cela que je veux devenir cheval. Parfaitement : je suis un cheval ! »

L'oncle Nardu est mort récemment, parfaitement heureux car il s'est offert une de ses plus belles crises pendant son agonie en se transformant en destrier. Et ses derniers râles furent des hennissements. Un fou, sans doute, mais hors des normes de la folie. D'ailleurs, comme l'a fait remarquer Fellini, la folie est dans certains cas « matérialisante », c'est-à-dire que l'individu qui s'en trouve atteint finit par ressembler vraiment aux gens ou aux objets dans lesquels il croit s'être glissé. Ainsi peut-on trouver le fou ressemblant à Napoléon, le fou devenu oiseau, et ainsi de suite.

« Mais le personnage le plus intéressant, et de loin, me dit Fellini, le personnage le plus prodigieux est un solitaire, complètement étranger à cette galerie de phénomènes plus ou moins pathologiques, c'est le docteur Gustavo Rol, de Turin. Sans doute en avez-vous déjà entendu parler. Il ne s'agit pas du tout d'un « mage » plus doué que les autres. C'est un monsieur parfaitement civilisé, cultivé, à l'esprit tout en finesse, un pur produit de l'Université, il peint, s'est voué pendant de nombreuses années à l'archéologie. Mais il dispose de tels talents qu'on peut se demander pourquoi il n'est pas célèbre dans le monde entier. Qui sait ? Son heure n'est peut-être pas encore venue...

« Ce que Rol est capable d'accomplir est proprement ahurissant. En le voyant faire, on a l'impression qu'il agit comme un plongeur qui se jetterait sans scaphandre dans les plus profonds abysses. Preuve fascinante, et passionnante, d'une véritable transcendance. Si l'on parvient à n'en pas demeurer terrorisé, c'est seulement grâce à ses allures plaisantes, joviales même, à cette ambiance vivifiante qu'il sait créer partout où il passe. Au reste, avant chaque expérience, il prend bien soin d'imposer des limites à l'enthousiasme, à l'émerveillement, par des avertissements judicieux sans lesquels le spectateur risquerait de se trouver complètement broyé. »

Fellini m'a longuement parlé, sans émettre le moindre doute, la moindre réticence, de ce monde prodigieux dans lequel Gustavo Rol évolue. Voici, par exemple, quatre anecdotes exemplaires.

Ils étaient assis tous les deux, Rol et Fellini, dans un salon de l'hôtel Principe di Piemonte à Turin. Près d'eux, un petit bureau avec un gros encrier d'argent. « Je vais tenter une expérience, dit Rol. Une expérience d'un genre que d'ailleurs je ne réussis pas à tous les coups. Tu vois cet encrier ? Je te prie de ne pas le quitter des yeux... » Fellini regarda donc fixement l'encrier. Il eut immédiatement l'impression que « quelque chose se passait à l'intérieur de lui-même, quelque chose d'anormal, comme un malaise lucide ».

Et soudain, tandis qu'il avait les yeux rivés sur l'encrier, il lui sembla que le petit bureau s'imposait dans tout son champ visuel, avec une netteté incroyable, dans tous ses détails, hormis le cendrier. Sous ses yeux, le cendrier venait de disparaître. Et Rol n'avait pas bougé de son fauteuil, était demeuré immobile.

« Le cendrier avait certes disparu, explique Fellini, mais il ne s'agissait pour ainsi dire que d'un écho. L'opération s'était déroulée sur un autre plan, je n'en percevais qu'un reflet... » Rol était en sueur, comme s'il s'extirpait d'un effort prolongé et pénible. Il n'en plaisantait pas moins : « Et maintenant, ils vont m'arrêter en me traitant de voleur. Que faire ? Est-ce que je vais parvenir à ramener le cendrier ? Et ce monsieur là-bas qui nous regarde. Tu le connais, toi, ce monsieur là-bas au fond ? » Fellini se retourna pour regarder. Il n'y avait personne. Son regard revint au bureau : le cendrier était de retour.

« Comment peut-on réaliser de telles prouesses ? A ce que j'ai vaguement subodoré, Rol doit accomplir une série d'opérations mentales qu'il met selon un certain ordre de sorte qu'elles se traduisent en réalité physique. Peut-être qu'après tout il a appris à manier la fameuse loi d'Einstein selon laquelle la matière peut se transformer en énergie et vice versa ; à cette nuance près qu'il y parvient par simple spéculation mentale. »

Un autre prodige eut un restaurant pour cadre, toujours à Turin. Ils venaient de terminer leur dîner, l'addition était déjà payée. « On y va ? » proposa Fellini. « Allons-y », répondit Rol. Fellini s'apprêtait à sortir quand il s'aperçut que Rol demeurait assis. « Tu ne te lèves pas ? » s'inquiéta-t-il. « Mais si, je suis debout », répliqua Rol. Fellini regarda un peu mieux : de fait, Rol était debout. Simplement, il était désormais de la taille d'un nain. Le docteur Gustavo Rol, qui frise habituellement le mètre quatre-vingts, n'était pas plus grand qu'un enfant de dix ans. Quelque chose de fou, d'hallucinant : du genre Alice au pays des merveilles. « Bon, alors on y va ? » répéta Rol à Fellini, abasourdi. Mais Fellini ne savait que répondre, il en avait le souffle coupé : sans la moindre mutation perceptible, Rol s'était à nouveau transformé, mais en géant cette fois-ci, il se tenait devant Fellini droit comme un cyprès et le dépassait de toute une coudée.

Et puis les voici, Rol et Fellini, au parc du Valentino par un bel après-midi somnolent. Contrairement à ses habitudes, Rol semble mélancolique, il parle peu, perdu dans ses pensées les plus secrètes. Ils s'installent en silence sur un banc. Un peu plus loin, assise sur un autre banc, une nurse somnole devant un landau. Un frelon se met à tourner au-dessus du landau. « Oh, regarde, dit Fellini. Allons vite chasser cette sale bête. » « Non, inutile », réplique Rol qui tend la main droite en direction de l'insecte. Une chiquenaude, et le frelon s'écroule à terre, foudroyé. « Ah, cela m'ennuie beaucoup ! déplore l'homme mystérieux et fascinant. Vraiment, cela m'ennuie. Je n'étais pas en droit de te laisser voir ça ! »

Quatrième exemple. Et, d'avoir transgressé les ordres, Fellini en tomba malade, sans pouvoir ni manger ni dormir pendant deux jours entiers. « Il me fait choisir une carte dans un paquet. C'était, je m'en souviens, le sept de trèfle. « Tu la prends, me dit-il, tu la gardes bien serrée contre ta poitrine, sans la regarder. Maintenant, en quelle autre carte veux-tu que je la transforme ? » Je choisis au hasard. Et je dis : « En dix de cœur. » « J'insiste, reprend-il, pour que tu la gardes bien serrée sans la regarder. » Et je le vois qui se concentre, qui regarde fixement, intensément, ma main et sa carte. Et je me mets à penser : Pourquoi ne devrais-je pas regarder ? Sans doute me l'a-t-il interdit, mais sans trop dramatiser. Et même : Ne m'a-t-il pas justement donné cet ordre dans l'espoir que je le transgresse ? Bref, je ne puis résister à la tentation. J'écarte un peu la carte de ma poitrine, et je regarde. Alors, j'ai vu... Ah ! j'ai vu une horrible chose qu'aucun mot ne saurait décrire... La matière qui se désagrège, une sorte de purée grisâtre et visqueuse en décomposition, un écœurant brouet où le dessin des trèfles se désagrégeait, pour laisser apparaître des veinures sanguinolentes... En cet instant, il m'a semblé qu'une main s'emparait de mon estomac et le retournait comme un gant. Une indicible nausée... Et je me suis retrouvé avec le dix de cœur, comme je l'avais suggéré. »

J'ai fini par demander à Fellini : « Mais toutes ces expériences, toutes ces sorcelleries ont-elles influé sur la réalisation du film ? »

« Difficile de répondre, dit-il. Il est évident que je me suis trouvé confronté à une foule d'imprévus, d'étranges oppositions, comme si une force obscure tentait de me décourager. D'une façon floue toutefois ; peut-être simplement mes propres impressions... Il n'en reste pas moins que, à cause de ce film, certaines amitiés se sont détériorées, perdues, détruites. Je veux dire des amitiés apparentes, superficielles... Je ne pense pas que la magie puisse faire quoi que ce soit contre la véritable amitié. »

UN ARTISTE,
MORT DEPUIS SOIXANTE-DIX ANS,
A PEINT UN PAYSAGE A TURIN

Turin, août 1965.

ON a éteint les lumières. La pièce est plongée dans l'obscurité, à l'exception d'une porte de verre dépoli d'où filtre la luminosité d'une autre pièce, là-bas. Nous nous trouvons dans un grand appartement de la via Galileo Ferraris, à Turin.

C'est sur l'ordre de Rol qu'on a éteint les lumières. Maintenant le mage... mais ce n'est pas un mage, comment pourrions-nous l'appeler ? le Maître ? l'Illuminé ? le Savant ? le Superman ? Maintenant le tout-puissant et inatteignable Rol va se livrer à une expérience de peinture dans l'obscurité, avec la participation d'un artiste français, François-Auguste Ravier.

Peindre en aveugle un tableau cohérent n'est pas une chose particulièrement facile. L'opération devient encore plus incertaine si le peintre est un homme mort depuis soixante-dix ans. De fait, François-Auguste Ravier, précurseur de notre Fontanesi, né à Lyon en 1814, est mort en 1895.

Il y a deux semaines, quand je me suis rendu à Turin pour rencontrer pour la première fois le docteur Gustavo A. C. Rol, je demeurai stupéfié. Non tant à cause de sa maison, dont on m'avait déjà vanté la beauté, décrit les précieux meubles, bibelots rares et tableaux anciens, la richesse des reliques napoléoniennes. Mais à cause de lui. Me fiant à tout ce que j'avais lu et entendu dire à son propos, au portrait à la mine de plomb publié par la revue « Planète », je m'attendais à me retrouver devant un homme froid, hermétique, réticent, renfermé dans le flot de ses secrets fantastiques, et en conséquence inquiétant, indéchiffrable, provoquant la gêne et même la peur.

On trouve tout au contraire chez Rol, qui à soixante-deux ans en accuse facilement dix de moins, une extraordinaire vitalité, une exceptionnelle joie de vivre. Je dois insister sur la sérénité, l'allégresse qui émanent de lui. Un quelque chose de bénéfique, qui irradie sur les autres. C'est bien là la caractéristique fondamentale — du moins, selon l'expérience que j'en ai — des rares humains parvenus, en se surpassant eux-mêmes, au plus haut niveau de spiritualité et, en conséquence, d'authentique bonté.

Quant à son visage, bien difficile de le décrire. Certains l'ont défini comme celui d'un « bon vivant ». C'est faux. Ce pourrait aussi bien être celui d'un gourou indien. Ou encore d'un chirurgien, d'un évêque, d'un tendre chérubin. On s'attend à un masque impressionnant, fascinant. Pas du tout. Ce qu'il y a derrière ce front n'apparaît guère, du moins à première vue.

Dans son appartement au quatrième étage de la via Silvio Pellico, numéro 31, Rol nous a longuement entretenus il y a une heure à peine — il y avait là Madame Franca P., jeune veuve d'un industriel turinois dont elle dirige désormais l'entreprise avec courage, sa fille Lucia, d'une grande maturité d'esprit malgré ses quatorze ans, le jeune éditeur F. et enfin le soussigné — il nous a longuement entretenus de la façon dont, selon lui, François-Auguste Ravier allait intervenir dans son expérience. Rol tient à assurer qu'il n'est pas un médium. Rol, catholique convaincu, ne croit pas que l'âme des morts puisse revenir parmi nous et se manifester. Il croit que, au moment de la mort, l'âme s'en retourne aux origines mais qu'un quelque chose peut subsister sur terre, appelons-le « esprit » par exemple, c'est-à-dire cette charge de vitalité et d'intelligence que l'homme est en mesure de transmettre à ses œuvres. Et cet « esprit » est capable, dans des circonstances bien déterminées, de reprendre, de répéter ce qu'il a fait durant sa vie, mais incapable de créer quelque chose de neuf ou de révéler les secrets de l'au-delà. Le Ravier qui allait devoir bientôt peindre dans l'obscurité n'était pas l'âme du peintre défunt, mais simplement cette parcelle de son esprit, éteinte sur cette terre mais qui continuera à exister encore dans cent millions d'années.

En ce qui concerne le lien entre Rol et Ravier, on n'y trouve aucune explication. Rol prétend que Ravier est venu à lui spontanément et lui est depuis lors demeuré fidèle, participant à bon nombre de ses expériences.

Quand Rol m'aperçut pour la première fois, il y a deux semaines, et que, assis en face de moi, il m'observait en souriant, il pointa brusquement son index sur mon flanc droit. « Eh là ! Il faut faire attention. L'estomac et le foie... Vous les maltraitez, n'est-il pas vrai ? (C'était vrai)... Vous avez eu jadis un petit ulcère au duodénum, cicatrisé désormais... La périduodénite n'est pas... Mais dans l'ensemble, je vous trouve plutôt bien. Votre auréole est claire, d'une belle couleur verte, juste un peu grisâtre sur les bords... Non, ne me regardez pas de cette façon. Je ne suis pas un mage. Je ne crois pas du tout à la magie... Tout ce que je suis et tout ce que je fais vient de là (il désignait le ciel), chacun de nous n'est qu'une parcelle de Dieu... Et quand on me demande pourquoi je me livre à certaines expériences, je réponds : « Je ne le fais que pour confirmer la présence de Dieu... »

Nous sommes assis autour de la table ronde dans la salle à manger. Deux somptueuses consoles dorées d'époque Louis XIV, des vases du premier Empire, un guéridon de marbre, les murs tapissés d'un somptueux papier peint du début dix-neuvième, représentant des scènes rupestres et romantiques. « Avez-vous entendu tout à l'heure ce petit craquement sur la gauche ? Non, ce n'était pas un craquement, c'était quelque chose de plus. J'ai tout de suite compris que c'était lui. Lui, Ravier... » Il prend un crayon, appuie la mine sur une feuille blanche. « Non, je ne suis pas en transe... » Le crayon se déplace, trace quelques signes. « Voici la signature, dit Rol. Voyons maintenant !... Je suis disposé à écrire, mais ma main n'avance pas... » Et voici pourtant le crayon qui se déplace à nouveau : « *Je veux bien peindre, mais pas ici, pas dans cette maison.* » Aussitôt, Madame Franca P. propose : « Et si nous allions chez moi ? »

Feu François-Auguste Ravier approuve, toujours en français : « Le tableau que la demoiselle a emporté chez elle (il s'agit d'une composition florale peinte par Rol) me plaît beaucoup. Je veux peindre en le regardant. Allez, partez vite !... Je ferai une peinture à l'huile. Prenez tout ce qu'il faut, je vous dirai en temps utile les couleurs dont j'entends me servir. Le jeune monsieur me plaît beaucoup, lui aussi. Quant à l'autre (moi, sans doute), sa solitude me fait de la peine. Mais vous êtes tous de véritables amis. Je vous en remercie. Je connais les dames depuis pas mal de temps... Allons, dépêchez-vous. Partez ! » Voici ce qu'a écrit, par la main de Rol interposée, le peintre mort depuis soixante-dix ans.

La *deuxième fois que j'ai rencontré Rol, il m'a montré certaines de ses expériences. Les plus simples, disait-il, le B.A.-Ba, les bâtons des petits à l'école maternelle. Il y avait sur sa table neuf tas de cartes auxquelles il fit faire, sans jamais les toucher, des choses tout bonnement ahurissantes. Je ne saurais même pas dire la quantité d'expériences qu'il fit, pendant trois heures d'affilée. Rol se sert volontiers des cartes à jouer parce qu'elles sont très maniables, qu'on les reconnaît facilement, qu'on peut parfaitement les contrôler et qu'elles offrent une variété infinie de combinaisons. Quelques exemples : en pleine lumière, un vase de près de deux kilos était mis par-dessus un tas de cartes choisies au hasard par moi, vérifiées et longuement battues toujours par moi. Ensuite, Rol me faisait choisir une autre carte dans un autre tas, disons : l'as de trèfle. Rol, se concentrant, mais ne tombant nullement en transe, tendait les mains vers le vase. Après quoi, une fois ce poids retiré du tas de cartes, on trouvait l'as de trèfle retourné à l'intérieur du paquet.*

Un autre jeu, si l'on peut appeler cela un jeu, et qui ne semble pas grand-chose à raconter bien que, rien que d'y penser, j'en aie des frissons dans le dos tant il implique une transformation instantanée de la matière ou en tout cas un phénomène parfaitement contradictoire avec les lois de la physique... Un autre jeu, donc : Rol me faisait choisir un paquet de cartes, puis le mêler, puis le diviser en quatre petits tas sans pour autant qu'ils fussent d'égale épaisseur, et me demandait enfin : « *Quelle couleur préférez-vous ?* » « *Les cœurs* », disais-je. *Alors, lui : « Et lequel des quatre petits tas préférez-vous ?* » J'en montrais un : « *Celui-là !* » Rol retournait alors le tas de cartes, et dans ce tas, mystérieusement, se trouvaient réunis tous les cœurs du paquet.

Un autre encore : Après m'avoir fait choisir un des paquets, Rol m'invita à le déposer dans la poche intérieure de mon veston. Il me fit choisir une carte dans un autre paquet, c'était le quatre de cœur. Alors il prit un bout de crayon dont il fit mine de piqueter l'air en direction de ma poitrine, en feignant d'agir comme un possédé. Je trouvai par la suite, au beau milieu du paquet que je m'étais mis en poche, le quatre de cœur transpercé d'une bonne douzaine de petits trous.

Une fois de nouveau réunis, vers minuit et demi, dans la maison de Madame Franca P., Rol nous fait asseoir tous du même côté, installe là boîte de couleurs sur un siège, fait signer par chacun de nous, en garantie, le dos d'un petit carton entoilé, nous distribue des feuilles de papier à dessin qu'il conviendra d'agiter, s'il nous le demande, car — nous explique-t-il — ce bruit est favorable à la concentration mentale. Il a fait éteindre les lumières, a retiré sa veste, on peut parfaitement distinguer malgré l'obscurité la blancheur de sa chemise. Et il invoque, à voix haute : « *François-Auguste Ravier, peintre à Lyon. Je demande François-Auguste Ravier, peintre à Lyon. Je suis Rol, à Turin...* » Silence.

« *François-Auguste Ravier, peintre à Lyon !* » répète-t-il. « *Alors, va-t-il répondre ou non ?... Je suis peut-être trop éloigné de vous ? Ne puis-je vous capter... ?* »

Notre présence lui est à l'évidence nécessaire. Rol fait rallumer, nous fait changer de place, il repousse un bout du tapis, étend un journal sur le plancher, y dépose peintures et pinceaux. « Je ne suis vraiment pas verni, murmure-t-il comme pour lui-même. Va-t-il me faire la belle blague de ne rien peindre du tout et de signer quand même le tableau ?... Dieu, que je suis nerveux ! »

Mais dans le même temps, sa main droite se remet à écrire sur une feuille de papier laissée sur la table. C'est Ravier qui choisit couleurs et outils de travail : « Blanc de céruse, du jaune, vermillon, un vert — n'importe lequel — du brun Van Dyck, bleu de cobalt, un pinceau large, un plus petit, une spatule, un petit couteau, un tampon, et un peu de bonne volonté. »

Par petites touches, une fois la lumière revenue, Rol dispose sur la palette les couleurs réclamées : il semble impossible qu'elles puissent suffire pour peindre un tableau aussi minuscule soit-il. Il nous demande ensuite de choisir un sujet. L'un dit : la campagne au petit matin. Un autre : un fleuve. Un autre encore : un orage en montagne. Et puis aussi : une forêt.

Lors de notre première rencontre, Rol avait fait référence à ces expériences picturales, réservées à plus aguerris que moi. La raison pour laquelle je n'étais pas encore en droit d'y assister ? Je la comprends ce soir. C'est qu'on pourrait s'en trouver terriblement épouvanté.

Et nous voici de nouveau dans l'obscurité, et la silhouette fantomatique de Rol qui se met à s'agiter, à vagabonder de çà et de là dans la pièce d'un pas toujours plus pesant, malaisé. Et il se courbe de plus en plus, comme chargé de milliers d'années. Et il émet des bruits impressionnants, raclements de gorge, gémissements caverneux, supplications lamentables : « Je n'y parviens pas, je n'y parviens pas ! Il y a trop de lumière !... Non, non, n'allez pas éteindre maintenant, ce serait pire...

Ah, ces cheveux qui me tombent sur les yeux, quelle entrave (il s'agit de la longue chevelure de Ravier)... Où est passée cette spatule ?... C'est un comble... Ah, la voici... *Ah, mais c'est lourd ça, Monsieur Ravier !* Vous autres, écoutez-moi : ne vous affolez pas si vous me voyez rapetisser ou grandir... »

Quels mots ! De quoi justement augmenter notre angoisse. Pourquoi devrais-je avoir peur de voir un homme devenir plus petit ou plus grand ? N'est-ce pas justement une spécialité de Rol ? Je ne sais pas pourquoi, mais je suis certain que je vais me trouver complètement épouvanté.

Pour peindre, Rol ne s'installe devant sa toile que pendant quelques secondes, par intermittence. En revanche, il se traîne sans arrêt dans la pièce, comme s'il était ivre, geignant de façon pitoyable. Et soudain, à trois mètres de lui, on entend là, sur le plancher, un tohu-bohu parmi les pinceaux et les spatules. « J'ai quatre-vingts ans !... » C'est comme un râle de moribond. « ... Quatre-vingts ans !... *C'est fatigant*... Jamais encore on ne m'avait maltraité de la sorte... » Il halète maintenant. Et puis soudain se frappe joyeusement sur les cuisses : « Ah, que c'est bon !... Ah, cette lumière, quelle grande lumière ! » Silence. « Je n'ai jamais autant peiné... Ces lumières, ici, sont sinistres... De la lumière ! Allumez cette grande lampe dans le coin. »

Il s'affaisse sur un fauteuil, haletant comme après une course échevelée. Il tient la toile dans sa main droite, la dépose sur une petite table à côté de lui, réclame une serviette-éponge pour s'essuyer la sueur. Cette scène hallucinante n'aura pas duré au total plus de vingt minutes, les moments de peinture dans l'obscurité à peine dix. Pendant ce temps, la peinture a entièrement été faite.

Parfois Rol s'amuse à jouer au bouffon, à se moquer de ses amis, comme pour les inciter à davantage de subtilité. Ainsi, la semaine dernière, quand il a annoncé à la fin de la séance : maintenant je vais tenter une expérience qui m'apeure à l'avance moi-même, je vais changer la couleur au revers des cartes à jouer. Il prit un des paquets, le plus usagé de tous, nous fit choisir trois cartes. Le hasard voulut qu'il en sortît un huit, un neuf et un dix. Il me dit : « Choisis une couleur. » Je répliquai : « Rouge. » Il remarqua : « Le dos de ces cartes est bleu, le bleu plus le rouge cela fait du violet. Maintenant, tous les huit, tous les neuf et tous les dix vont devenir violets. » Madame Franca P. posa une main sur le paquet. Rol mit les deux siennes par-dessus. Quelques secondes encore, et nous avons vérifié : au revers des huit, des neuf et des dix, la couleur des cartes était différente, plus intense, virant sur le violet. C'était à n'y pas croire. Ce ne fut que plus tard, en rentrant à Milan, que je pris conscience de la mystification. En réalité, les huit, les neuf et les dix, c'est-à-dire les cartes mineures, sont en général beaucoup moins utilisées[1]. Il est donc logique qu'elles se trouvent moins décolorées que les autres, que leur teinte soit plus vive.

Mais ce soir il n'est certes pas question de plaisanterie. Imaginer ou simplement suspecter un quelconque trucage serait encore plus inconcevable et absurde que d'admettre le prodige. Quelqu'un ou quelque chose a peint sur la toile un gracieux paysage dans le plus pur style dix-neuvième : on y voit un fleuve, ou un petit lac, aux berges touffues, surplombé d'une montagne, avec

1. Au jeu de la *briscola*, aussi répandu en Italie que la belote en France (N.d.T.).

un beau soleil qui perce au travers de légers nuages. La technique est remarquable. Les couleurs plutôt diluées (mais il y en avait si peu) s'accordent en une aimable harmonie. On peut constater au toucher qu'elles sont fraîchement mises. Un peintre aguerri, ayant déjà exécuté le même tableau plus de cent fois et capable de le refaire encore de mémoire, ne pourrait y parvenir en moins de deux ou trois heures, aussi rapide soit-il.

Bizarre : plus je l'observe et plus il me semble que le dessin et les couleurs de ce tableau se précisent, se raffermissent, prennent de la consistance. « C'est naturel, dit Rol. Pendant que nous examinons cette toile, Ravier lui donne les ultimes retouches. Une fois, sur un des tableaux qu'il m'a faits, est apparu un petit personnage, une espèce de fantasme, plusieurs minutes après la fin de l'expérience. »

Il est trois heures du matin. Le paysage ne bouge plus, depuis les dernières modifications les couleurs ont cessé de palpiter. Apparemment, Monsieur Ravier a pris congé de nous. Où se trouve-t-il maintenant ? Vais-je le rencontrer sur l'autoroute qui me ramène à Milan ?

LES ENFANTS CONÇUS AUJOURD'HUI SERONT-ILS TOUS DES PETITS GARÇONS ?

San Vito di Valle Castellana, août 1965.

VOICI encore un exemple de mystère à l'italienne, mais sans esprits frappeurs ou autres vilaines choses qui puissent indisposer. Une petite histoire, si vous voulez bien, sympathique et plutôt optimiste, mais portant indiscutablement sa charge de mystère, tant il est vrai que lorsque je l'ai racontée à mon frère, professeur de génétique à l'Université, je m'attendais à ce qu'il me rie au nez, et pas du tout ! Il s'est contenté de sourire, en disant : « Bah, nous savons encore si peu de chose à ce propos ! »

Franco Manocchia, le directeur de la *Gazzetta di Pescara,* m'accompagnait en auto à la recherche de Monsieur Antonio Sabatucci, l'homme qui a mis au point la méthode — justement nommée méthode Sabatuccci et approuvée, c'est du moins ce qu'il assure, en Conseil des Ministres du 24 novembre 1956 par décret numéro 0/57810 —, qui permet de mettre au monde des petits enfants mâles ou des petits enfants femelles, selon les préférences de chacun, sans jamais, c'est encore lui qui l'assure, avoir failli.

Monsieur Sabatucci habite à San Vito di Valle Castellana, 617 mètres d'altitude. Pour s'y rendre, il faut passer par Teramo et s'engager sur les contreforts de montagnes verdoyantes. C'était par une splendide journée, plus on grimpait plus l'air devenait frais et agréable, la route était goudronnée et, du moins ce matin-là, tout emplie d'allégresse. Allègres étaient les prairies, les arbres et les champs épars et même, à contre-jour, la silhouette solennelle du Gran Sasso, lequel fut cependant bientôt caché par la montagne sur laquelle nous grimpions et, alors, il ne resta plus de disponibles à nos regards que des vallons, des crêtes et des cimes vertes à l'expression joviale et rassurante.

Un peu avant d'arriver à San Vito di Valle Castellana, notre auto rejoignit une Volkswagen 1200 blanc-gris, immatriculée en Aoste et conduite par une dame. Je me demandai : Peut-être qu'elle aussi s'en va trouver Monsieur Sabatucci ? Combien de personnes, outre moi-même, sont venues aujourd'hui pour trouver Monsieur Sabatucci ? Et combien allais-je en trouver qui l'attendaient ?

C'est pourquoi notre auto essaya de dépasser la Volkswagen pour arriver avant la dame, mais ce ne fut pas possible car nous arrivions justement à San Vito, hameau de trois ou quatre maisons, la Volkswagen s'arrêta et il nous fallut stopper juste derrière elle. La maison de Monsieur Sabatucci, nous indiqua-t-on, était là-bas, sur la gauche, à une vingtaine de mètres. On n'apercevait aucune autre auto, il n'y avait nulle trace de rassemblement ou de queue. Tout était désert et tranquille.

Une dame maigre et blonde, dans les trente-cinq ans à peu près, pas déplaisante, dotée d'une vitalité apparemment inépuisable, sortit de la Volkswagen. Elle portait un costume de lin blanc, de bonne coupe, et je remarquai aussitôt sur sa main gauche une gigantesque et scandaleuse émeraude qui devait bien peser, à vue de nez, dans les deux kilos.

Elle nous demanda aussitôt : « Vous aussi êtes

venus pour consulter le mage ? J'imagine, pas pour vous-mêmes ! L'un et l'autre mariés sans doute ? Et... depuis combien de mois, le... ? Ah non ?... Journalistes ? Oh, quelle joie : j'adore les journalistes... Non, non, je n'ai vraiment rien contre ! Bien sûr, nous allons pouvoir entrer ensemble... Juliette, alors tu te décides à descendre à la fin ?... Et vous le connaissez déjà ce Bartolucci ? On m'a tant vanté ses mérites, ah oui, c'est vrai, Sabatucci, pardon... Enfin, Juliette, je t'en prie, secoue-toi, et prends mon sac vert que j'ai oublié dans la voiture... »

Juliette s'extirpa lourdement de l'auto. Elle ne devait pas avoir dépassé la trentaine, mais connaissait sans doute déjà tous les plaisirs de la table, à en juger par ses dimensions respectables pas seulement dues à une grossesse fort visible au demeurant. On fit les présentations.

« Voici ma cousine Juliette, dit la blonde automobiliste. C'est pour elle que nous sommes venues, si vous voyez ce que je veux dire... Enchantée, enchantée. Mon nom est Martina. »

Nous avons grimpé ensemble jusqu'à la maison de Monsieur Sabatucci. Une de ses deux filles nous informa qu'il était encore en train de manger mais qu'il allait bientôt venir, et que nous n'avions qu'à nous installer en l'attendant. Il était clair que cette maison, à deux étages, venait d'être construite ; les meubles de la salle à manger (le propriétaire se restaurait à la cuisine) avaient été achetés depuis peu, et la table ovale avait un manteau de verre. La télévision trônait sur un guéridon, et un faucon empaillé sur la télévision. Sur les murs, des reproductions de scènes de chasse. La fille Sabatucci, voyant Manocchia qui allumait une cigarette, lui apporta un cendrier de céramique à l'effigie de l'Empire State Building.

Madame Martina n'eut pas le temps de s'instruire entièrement sur la vie les naissances la famille les parents les problèmes éducatifs les résultats scolaires les fiançailles mariages fausses couches lectures films et acteurs favoris car, accompagné de son autre fille, Monsieur Antonio Sabatucci faisait son entrée (il a eu sept enfants dont un est mort, il lui est resté quatre garçons et deux filles).

Monsieur Sabatucci porte magnifiquement ses soixante-treize ans et ressemble à Benedetto Croce. Il a l'air débonnaire et serein, ne prend pas de grands airs mais parle de sa théorie comme si c'était parole d'Evangile. Madame Martina ne le laissa pas souffler.

« Ah, Monsieur Sabatucci, se mit-elle à le mitrailler, consolez, consolez ma petite cousine, donnez-lui la bonne nouvelle, pensez donc, mariée depuis cinq ans, à propos, Juliette, c'est cinq ou six ? Non, non, cinq ans, et son mari depuis le début de leurs fiançailles qui n'arrêtait pas avec la hantise d'un enfant mâle, ah ces maris quelle engeance, si vous saviez ! Le nom de la famille à perpétuer, le titre à conserver et patati et patata, et voilà qu'arrive tout au contraire une petite fille un trésor de petite fille vous savez et au bout d'un an encore une petite fille et un an plus tard une troisième petite fille et maintenant s'il arrivait une quatrième petite fille vous vous doutez de ce qui se passerait et caetera et caetera ? Parce qu'il semblerait que ce soit une malédiction sur la famille, un désastre, non pas qu'on ne l'aimerait tout autant mais le même destin m'a été réservé, à n'y pas croire, deux fois maman et deux fois une petite fille pour moi aussi et encore dans mon cas fort heureusement il n'y a pas de titre nobiliaire à transmettre mais mon mari lui aussi, il faut m'en croire, a cette idée fixe de l'héritier mâle... »

Fort heureusement le souffle lui manqua et Monsieur Sabatucci put faire entendre sa voix de baryton : « Ma pauvre dame, on vous a mal informée, ma méthode concerne exclusivement la conception, et pour savoir si madame votre cousine aura un garçon ou une fille il me faudrait connaître exactement le jour de cette conception. »

« Juliette, Juliette, dit Madame Martina. Tu dois le savoir quand tu as conçu ! »

« Conçu comment ? » C'étaient les premiers mots sortis des lèvres de Juliette.

« Allons, Juliette, ne sois pas stupide. Conçu, non ? Cela veut dire quand tu l'as commencé, ton bébé, quand... »

« Ce devait être en avril. »

« Quand, en avril ? Quel jour précisément ? » demanda Monsieur Sabatucci.

« Je ne sais pas, je ne peux pas m'en souvenir. »

« Je suis vraiment navré, madame, fit dignement le sosie de Benedetto Croce, mais je crains de ne pouvoir vous être de quelque utilité. Il faut me préciser la date exactement. Car il y a des jours où l'on conçoit seulement des garçons et des jours où l'on conçoit seulement des filles. Ma méthode établit à l'avance, d'une année sur l'autre, quels seront les jours mâles et quels seront les jours femelles, en général cela va par petites séries, par exemple six jours consécutifs pour les garçons, puis un jour d'intermède où peuvent naître des jumeaux de sexe opposé, puis quatre jours consécutifs réservés aux filles et ainsi de suite. »

« Mais c'est magnifique, mais c'est génial ! » explosa Madame Martina, gesticulant de telle sorte que son sac vert tomba du bord de la table où il était posé avec un bruit sec et métallique.

« C'est merveilleux, cher Monsieur Lorenzucci, j'espère que ma petite bouteille ne s'est pas brisée... Ainsi donc la série noire est terminée dans ma maison, Dieu quelle joie ! Mon mari va enfin cesser de forniquer... »

« Bien évidemment, chère madame, confirma Sabatucci. Liliana, apporte quelques-uns de ces prospectus ! »

La fille Liliana épouse Giafferdoni quitta la pièce et revint avec un petit livret à la couverture bleue et une dizaine de feuilles imprimées qui disaient :

Mamans, épouses, fiancées ! Vos craintes de ne savoir comment sera composée votre famille sont terminées.

Grâce à l'exceptionnelle nouveauté que représente la méthode Sabatucci. Vous pourrez établir avant même la conception le sexe de chacun de vos enfants, garçons si vous le désirez, ou bien filles à votre choix... La théorie Sabatucci n'est pas en vente en librairie mais vous pourrez obtenir l'opuscule qui la révèle en envoyant 2000 lires à l'auteur, Antonio Sabatucci, San Vito (Teramo). Vous recevrez le livre par envoi recommandé avec toutes les instructions, sérieux et garantie absolue... Toute femme enceinte peut m'écrire en précisant le jour de la conception et je répondrai gratuitement en indiquant de façon certaine le sexe de l'enfant qui naîtra, donnant ainsi la possibilité de préparer le trousseau adéquat... Prière de joindre un timbre pour la réponse.

Je parvins à intervenir : « Monsieur Sabatucci, comment avez-vous découvert votre méthode ? »

Sabatucci se recueillit en lui-même : « J'ai réfléchi, j'ai étudié. J'ai consulté les registres des naissances. Je puis seulement dire que l'influence de la lune y est pour quelque chose... Il est évident que pour arriver à la certitude il m'a fallu beaucoup de temps... Mais, depuis vingt ans désormais, je puis assurer que ma théorie est parfaite. »

« Et peut-on savoir en quoi elle consiste ? »

Sa fille Liliana : « C'est un secret. Mon papa ne l'a jamais dit à personne, pas même à mon frère Salvatore qui est médecin. Papa dit qu'il le laissera à ses fils par testament. N'est-ce pas, papa ? »

« Et dans votre famille, demandai-je encore, cette méthode a-t-elle toujours bien fonctionné ? »

« Parfaitement, répliqua l'inventeur. Mes fils et mes filles ont tous eu à volonté des enfants fils ou des enfants filles. Ah, si, il y a eu une erreur... » Il sourit complaisamment. « ... Car, voyez-vous, quand est né mon septième enfant, qui était une fille, j'ai fait annoncer publiquement : maintenant Antonio Sabatucci a son compte, mais si par hasard Dieu voulait encore bénir ma maison, je vous le signale dès aujourd'hui, ce sera un garçon... Et puis, vous savez comment va ce genre de choses... Un beau jour ma femme — elle est à Rimini en ce moment, mais elle reviendra demain ou après-demain —, un beau jour donc ma femme m'annonce la nouvelle. Sapristi ! et quand cela s'est-il donc produit ? Nous faisons le compte à rebours et découvrons que ce sera une fille et non pas un garçon. Et moi, quelle figure j'allais faire au village, après ce que j'avais claironné partout ? Sacré problème... Heureusement, j'ai eu l'idée de demander conseil à mon fils le médecin. Et il m'a répondu : mais c'est simple, papa, il te suffit de faire savoir au village que tu as mal calculé et que l'enfant à naître sera une fille au lieu d'un garçon. Ainsi, tu sauveras la face... C'est ce qui s'est passé, et personne n'a rien trouvé à y redire... »

Madame Martina, deux billets de mille lires à la

main, était sur des charbons ardents : « Alors, Monsieur Gasparucci, vous me le donnez, ce livre ? »

« Le voici », dit-il en lui tendant le petit livret à la couverture bleue.

Le fascicule commence par une introduction sur un ton doctoral où il est dit notamment :

Aujourd'hui, après avoir contrôlé sa théorie sur des milliers de cas, Sabatucci est parvenu à donner une base catégorique à sa méthode toute personnelle. La prédétermination du sexe peut être désormais considérée comme une entité parfaite dans ses possibilités d'application pratique. Les investigations des exégètes ne peuvent plus porter que sur l'interprétation exacte des facteurs entrant en ligne de compte.

L'expérience médicale confirme l'existence d'un cycle : mais la science doit encore en expliquer les causes. Quoi qu'il en soit, les recherches en cours sont parvenues à établir, confirmant en cela la méthode Sabatucci, la présence de facteurs saisonniers qui se répètent avec une périodicité intangible.

Il existe actuellement des méthodes rigoureuses permettant de révéler le sexe du fœtus, mais seulement en cours de grossesse. Citons parmi les plus récentes celle de Rapp et Richardson, prenant pour base la présence dans la salive de la femme en gestation d'une hormone libre — l'œstrogène — révélée par une simple réaction chimique... Pénétrer dans les mystères de la « petite différence », comme la nomment les Français, n'est pas une nouveauté.

Les considérations de base qui articulent la méthode Sabatucci se retrouvent dans la formulation de la non moins célèbre théorie Ogino-Knaus. Cette théorie détermine...

Viennent ensuite les pages consacrées aux douze mois de l'année. Pour chaque jour, écrite à la main, il y a l'indication « garçon » ou « fille ». Avec, de temps à autre, des jours en blanc : ceux « réservés aux jumeaux de sexe opposé ».

Je demande : « Monsieur Sabatucci, puis-je publier votre liste sur le journal ? »

Il me regarde, perplexe : « Ouais ! Et puis, si avec cinquante lires on peut tout savoir, qui s'adressera encore à moi ? Ecoutez : pour ne pas trop vous faire de peine, je veux bien vous laisser publier les jours qui restent encore à courir en août. »

Il se fait apporter un petit livret sans les indications à la main, remplit les espaces laissés en blanc :

Treize août, on conçoit des garçons. 14 août, on conçoit des garçons. 15 août, garçons. 16 août, garçons. 17 août, garçons. 18 août, pas d'indication. 19 août, des filles. 20 août, des filles. 21 août, des filles. 22 août, des filles. 23 août, des filles. 24 août, des filles. 25 août, des filles. 26 août, pas d'indication. 27 août, des garçons. 28 août, des garçons. 29 août, des garçons. 30 août, des garçons. 31 août, des garçons.

Est-ce bien vrai ? Mais si cela était, quelle belle occasion perdue pour Messieurs les savants Professeurs.

L'HISTOIRE
DE L'ENFANT FIGURINE

Ortona, août 1965.

ALBERTO MELISANA, correspondant local du *Corriere di Pescara* et Franco Manocchia, directeur de la *Gazzetta di Pescara,* ont eu l'amabilité de m'accompagner jusqu'ici, à Ortona, pour me faire profiter de leur longue expérience dans une interview particulièrement délicate que je devais effectuer.

Il s'agissait d'interroger un homme droit sorti en chair et en os des ténèbres du Moyen Age, sorti des plus hideuses et cruelles malices de l'époque noire, sorti d'un miasme de mystère et de mort, en bref issu tout fumant mais encore en vie des chaudrons du diable.

Et je voulais le persuader de cracher tout ce fiel, de me relater dans le plus infime détail tout ce dont il avait conservé la mémoire, ses mortifications et sa vergogne, dans la mesure où il s'agissait d'une des histoires les plus folles et les plus obscures qu'on m'ait jamais racontées dans le Sud.

Notre automobile parvint à Ortona vers les six heures de l'après-midi. Il faisait chaud. Melisana et Manocchia s'informèrent dans un café de l'endroit où l'on pouvait trouver Giovannino Lucci — et il me faut dès maintenant avertir le lecteur que mon homme ne se nomme pas du tout ainsi, mais je lui ai fait la promesse formelle de ne pas dévoiler son identité : de toute façon, les gens du lieu m'auront déjà compris ; quant aux autres, qu'il se nomme Chose ou Machin, cela n'est vraiment d'aucun intérêt pour eux.

Au café, on nous dit que Giovannino Lucci, pour le peu que l'on en sache, travaillait à la Mairie, et devait habiter dans le même coin. Quelqu'un précisa toutefois que Lucci devait être le concierge de la Mairie.

Dans le quartier indiqué nous avons rencontré un jeune homme grassouillet et tout en sueur qui nous a donné des renseignements complémentaires : il travaillait lui aussi à la Mairie et nous indiqua la rue ou vivait Lucci, à deux pas de là, dans la première ou, sinon, la deuxième maison sur la gauche.

L'inscription avec le nom de Giovanni Lucci était en effet la première de toutes celles qui se trouvaient sur la porte de la première maison à main gauche : une habitation moderne à deux étages, construite par la Municipalité pour ses propres employés.

Melisana et Manocchia me conseillèrent de demeurer dehors à les attendre, entrèrent et frappèrent à la porte de gauche du premier étage, qu'on leur ouvrit.

A peine cinq minutes plus tard, ils réapparurent accompagnés de ce Monsieur Giovannino Lucci qui me fit immédiatement comprendre qu'il n'était en aucune façon question pour lui d'accorder la moindre interview.

Lucci est un homme d'une trentaine d'années, de taille moyenne, d'aspect gracile, du genre blême et souffreteux de ceux qui sortent d'une longue maladie. Même son visage fin et intelligent semble porter les stigmates de ses anciennes souffrances. Ses lèvres fines sont parfois prises d'un rictus amer et désabusé.

« Non, non, disait-il. Je vous remercie de votre visite et j'ai plaisir à faire la connaissance de ce monsieur, mais je vous assure que je suis saturé des journalistes. Vous voudrez bien m'excuser, mais je ne dirai plus rien. »

« Pourquoi ? A-t-on écrit des choses inexactes sur votre compte ? »

« Ce n'est pas ce que j'ai voulu dire. Il y avait aussi des choses exactes, mais sans aucun respect. Je me suis refait une vie désormais, j'ai une famille, et je ne veux plus entendre parler de cette maudite histoire. »

Nous nous tenions debout sur le perron. Deux enfants et une dame nous regardaient par une fenêtre du premier étage. C'était là son havre, sa tranquillité, sa sauvegarde, après trente années d'humiliations et de tortures aux cicatrices pas encore totalement refermées.

N'était-ce pas honteux, de notre part, que de vouloir contraindre ce malheureux à exhumer son indignité, et à l'étaler ainsi une fois encore devant nous ? Je pensais à ces tentateurs sans scrupules qui parviennent, par des manœuvres abjectes, à inciter le paysan confiant à leur vendre pour trois sous l'antique armoire de ses pères. Madame Lucci, à sa fenêtre, pensait sûrement de même. Et elle avait raison de nous haïr.

« Non, non, disait l'homme, même si vous taisez mon nom. On a déjà trop parlé de tout cela. Croyez-moi, ce n'est pas par mauvaise volonté... »

Il veut oublier la masure où il est né, via della Giudecca, à Ortona. Il veut taire ce que faisait son père, qui ne sortait souvent de prison que pour bientôt y revenir, et taire le misérable métier de sa mère. Il ne veut plus penser à cette atmosphère de misère, d'ignorance, de superstition bornée dont toute son enfance a été baignée, imprégnée.

Il ne veut plus parler de l'épouvantable grand-mère qui s'occupa de lui, si l'on peut dire ainsi, quand ses parents l'eurent abandonné : la mère de sa mère, nommée Marietta, alors âgée de cinquante ans, et réputée sorcière.

Ni de son oncle Cecco Mengoni, alors âgé de vingt-quatre ans, cordonnier qui avait épousé la sœur de sa mère quand elle avait à peine treize ans.

Et, par-dessus tout, il veut oublier l'invraisemblable liaison entre l'oncle et la grand-mère, origine de sa propre mésaventure.

« Je ne demande rien à personne, répète-t-il courtoisement mais fermement. Nous pouvons bavarder ensemble, si vous le désirez. Allons au café, boire un petit quelque chose. Mais, sur ce sujet-là, par pitié, laissez-moi en paix. »

Son oncle était tombé malade, on l'avait emmené à l'hôpital, les médecins diagnostiquèrent la tuberculose. La grand-mère Marietta en était devenue folle de douleur. Comme les médecins laissaient peu d'espoir, et que de toute façon il y avait peu d'argent pour être convenablement soigné, elle se dit qu'elle pouvait bien recourir à la sorcellerie.

Giovannino Lucci était fort correctement vêtu, chemise blanche fraîchement lavée, pantalon sombre au pli impeccable, chaussures marron bien cirées. Il souriait devant notre insistance, de cette façon ironique et amère qui laissait clairement entendre qu'il ne céderait pas.

Le « transfert maléfique » qui consiste à chasser d'une personne la maladie en l'inoculant à une autre n'est pas une sornette, du moins ne l'était pas en ce temps-là — en 1936. La grand-mère Marietta, aveuglée par sa passion tardive, imagina de profiter de l'enfant dont elle avait la garde. Elle prenait des aiguilles qu'elle enfonçait dans les chairs de Giovannino, après les avoir trempées dans la salive de son malade. Ainsi pensait-elle guérir Cecco Mengoni.

Nous sommes allés nous asseoir dans un sinistre bar moderne, peu éloigné de la maison de Giovannino Lucci. Celui-ci se comporte en seigneur, commande les apéritifs, nous offre des cigarettes — à nous, qui sommes ses persécuteurs. La conversation est lente et difficile.

La grand-mère prenait des aiguilles, de minces épingles sans tête, des poinçons, des agrafes, des fibules acérées, aiguisées à la lime, et les enfonçait, cinq à six fois par jour, dans les jambes, dans les bras, dans l'échine, dans la poitrine du malheureux, et jusque dans la plante de ses pieds, au point que Giovannino ne parvenait plus à marcher et se traînait sur le derrière dans toute la maison. L'enfant avait été transformé en exutoire, en un de ces sinistres simulacres d'argile ou de bois transpercés, truffés d'horribles pointes, comme on en trouve dans les musées ethnographiques. Il hurlait, il pleurait jour et nuit, sa vie n'était qu'un long gémissement. Les voisins demandaient : « Qu'a donc Giovannino, pour crier ainsi sans arrêt ? » « Il ne se sent pas très bien depuis quelque temps, répondait la sorcière, et puis c'est un enfant capricieux... »

Franco Manocchia tente une nouvelle approche, avec un maigre résultat. « Le procès a eu lieu en 1939, si j'ai bonne mémoire, juste avant la guerre ? » « Oui », répond sèchement Lucci. « Et elle, la grand-mère, elle a avoué, n'est-ce pas ? » « Non, répond l'autre, elle n'a rien avoué. »

Ses tendres chairs criblées pendant trois mois de quatre cents minuscules blessures, si petites qu'on ne pouvait voir à peine que des boursouflures, des turgescences, des égratignures. Il en avait partout : près du cœur, mais pas dans le cœur ; près des poumons, de l'estomac, des reins, mais pas jusqu'à les perforer. Ah, c'est qu'elle était une sorcière experte, la grand-mère Marietta.

Nous nous levons. Giovannino Lucci se montre plus que jamais grand seigneur. Il ne cherche pas de prétexte futile pour se débarrasser de nous, il ne tente pas de nous chasser de son village, et nous propose même de faire ensemble quelques pas. « Pour prendre un peu l'air. » Et nous voici en marche vers le centre d'Ortona.

Les hurlements du petit devinrent tels que les voisins commencèrent à se poser des questions. Un jour que la grand-mère et l'oncle étaient sortis, on en profita pour s'emparer de lui et le porter à l'hôpital. Le médecin l'examina puis, perplexe, demanda une radiographie. « Mais ce n'est pas un enfant ! s'écria-t-il, horrifié, quand il eut la radio entre les mains. C'est une passoire ! » Les aiguilles et les épingles, cheminant à travers les muscles, s'étaient éparpillées dans tout son corps. Qui avait pu le martyriser de la sorte, et pourquoi ? L'idée d'un « sortilège » ne vint à personne. Jusqu'au jour où, une infirmière s'étant approchée de Giovannino pour lui faire une piqûre, il se mit à supplier frénétiquement : « Grand-mère, non, grand-mère ! Par pitié, ne le fais plus ! » Tout devint clair alors, et l'on arrêta la grand-mère et l'oncle.

Ortona, dévastée par la guerre, a été en grande partie reconstruite. Il y demeure pourtant toujours, même dans la rue principale, une atmosphère de tristesse que la mer ne parvient pas à dissiper. Au soir, quand les néons s'allument, les gens vont et viennent. Giovannino Lucci ne parle pas du crime, mais il raconte la désespérance et la faim quand, en 1954, il dut quitter le collège de

Chieti. Il fallut l'hospitaliser encore, et pratiquer à nouveau de douloureuses extractions d'aiguilles et d'épingles dont on ne voyait pas la fin (et ce n'est toujours pas fini, alors que trente ans ont passé désormais).

Et puis ce fut la recherche d'un travail, le premier emploi à la Municipalité comme surveillant à l'école primaire, serrer les poings pour oublier le passé, pour devenir un homme comme tout le monde, respectable et respecté, malgré cette horrible ombre sur ses épaules, dont il n'était pourtant pas coupable. Surveillant, huissier, concierge, courage, courage, et maintenant secrétaire de Mairie. Combien auraient été capables d'une telle réinsertion sociale ?

Le procès eut lieu en 1939, à la Cour d'Assises de l'Aquila, et les journaux en firent peu d'écho : il n'était pas bon de parler des faits divers au temps du fascisme. Après avoir avoué au cours de l'instruction, la grand-mère et son gendre se rétractèrent. Condamnés l'un et l'autre à trente ans. La grand-mère mourut en prison.

« Et votre oncle ? » osai-je demander à Lucci.

« Il est guéri. J'ai demandé sa grâce et il l'a obtenue. Nous avons pu lui trouver un travail à la Municipalité. Il est éboueur maintenant. Parfois nous nous rencontrons. Je l'invite au café, nous bavardons... »

« Mais de quoi parlez-vous ? De toute cette affaire ? »

« Ah non ! Jamais un mot sur ce sujet. Jamais. »

« CHECK-UP »
EN DIX MINUTES
CHEZ MADAME PASQUALINA

Civitanova Marche, août 1965.

VRAIMENT tout le monde, à commencer par Federico Fellini, m'avait conseillé de me rendre chez Madame Pasqualina Pezzolla, ici à Civitanova, tant le déplacement en valait la peine.

Pasqualina Pezzolla possède cette extraordinaire faculté de voir à l'intérieur du corps humain aussi bien que dans ces atlas anatomiques à feuillets superposés qu'on utilise parfois dans les écoles. La première planche représente la peau, telle que nous la voyons normalement. Sous cette première strate apparaissent les muscles, avec leurs beaux faisceaux en forme de fuseau couleur chair, et puis voici la tête — une fois sa dentition entièrement effacée — qui n'est plus qu'un crâne ricanant.

En compulsant le deuxième feuillet, on découvre les viscères, les poumons, le cœur, le foie, l'estomac et tout le reste. En somme, on pénètre toujours plus avant de planche en planche, jusqu'à ce qu'il ne reste plus que les os, ce vieux maudit squelette qu'on retrouve dans les danses macabres des antiques nécropoles.

Eh bien, pour Madame Pasqualina Pezzolla, chacun de nous n'est rien d'autre qu'un de ces atlas didactiques. Sans avoir même besoin de soulever les différents feuillets, elle pénètre automatiquement, d'un simple regard, par-delà la peau et les faisceaux musculaires, jusqu'aux veines, aux artères, aux ventricules et oreillettes, au côlon ascendant et descendant, qui se présentent chemin faisant à elle dans toute leur vérité charnelle, et s'il s'y trouve la moindre imperfection, une malformation, ou n'importe quoi qui n'y est pas à sa place, elle l'aperçoit aussitôt et peut ainsi établir des diagnostics d'une effarante précision qui laissent pantois les plus savants et les plus expérimentés des cliniciens professionnels. C'est du moins ce dont on m'avait assuré.

Justement, tout récemment, un fort mauvais film qui se présente comme le summum de l'épouvante vient d'être projeté sur les écrans italiens : *L'homme aux regards de rayons X,* avec Ray Milland en vedette. C'est l'histoire d'un médecin qui invente un médicament capable de conférer aux yeux la faculté de voir à travers la matière. Ainsi ce médecin est-il soudain à même d'identifier les maladies les plus évidentes et d'infirmer superbement les diagnostics erronés des plus illustres mandarins. Du même coup, il devient également capable de « lire » à travers les cartes à jouer, et fait sauter la banque dans tous les casinos. Toutefois, pour avoir voulu vaincre et violer la nature, l'homme aux regards de rayons X tourne mal — comme dans toutes les histoires de ce genre —, est arrêté pour assassinat et on lui crève sauvagement les yeux.

Madame Pasqualina Pezzolla est d'une autre carrure que ce misérable et invraisemblable docteur Xavier. Tout d'abord parce que, pour voir à l'intérieur du corps humain (il est vraisemblable, mais je ne le lui ai pas demandé, qu'elle peut d'ailleurs en faire tout autant avec les animaux),

Madame Pasqualina n'a nul besoin de s'injecter de dangereux ingrédients dans les globes oculaires. Ensuite, parce qu'à' la différence du médicastre du film en question Madame Pezzolla possède un extraordinaire don d'ubiquité, ou plus exactement d'hétéroquité, c'est-à-dire que pendant qu'elle se tient assise dans sa maison de Civitanova Marche, son esprit et sa vue peuvent se transporter instantanément y compris dans des lieux fort éloignés et y examiner un malade exactement comme s'il se trouvait présent à côté d'elle : prestations à tel point fatigantes que désormais Madame Pasqualina préfère s'en dispenser quand jadis, au temps de sa jeunesse, elle allait facilement par monts et par vaux.

Je me promis donc de me rendre chez Madame Pezzolla pour assister à quelques-unes de ses performances. Il va sans dire que, personnellement, j'entendais bien me garder de lui demander une consultation. Il m'avait déjà fallu affronter, l'année précédente, de douloureux états d'âme pour avoir tenté d'expérimenter, à des fins journalistiques, la filière laborieuse d'un *check-up* réalisé dans toutes les règles de l'art. Et il n'était certes pas question de m'astreindre à un bis encore plus préoccupant en raison de cette aura de magie, pour ne pas dire de nécromancie, qui entoure Madame Pasqualina. Non, assurément. Sans doute faut-il être à ce point pris par son métier qu'on puisse accepter de souffrir certains sacrifices, certains désagréments, et même parfois des risques ; mais il y a une limite à tout.

La renommée, la popularité dont jouit Madame Pasqualina Pezzolla dans toute la région est impressionnante. Assez loin encore de Civitanova, nul n'ignorait rien d'elle, et où elle habitait exactement, et quelles merveilleuses entreprises étaient les siennes. Chacun avait sa petite anecdote personnelle à raconter : « L'automne dernier, mon petit garçon de sept ans a eu une tumeur dont les médecins traitants ne savaient ce que c'était, ils prescrivaient des compresses, des cataplasmes, et puis un beau jour je me suis décidé, je suis allé voir Pasqualina... » « Et ma belle-sœur, si vous l'aviez vue ! Elle marchait pliée en deux, et même elle ne marchait plus du tout, et les médecins avaient diagnostiqué une arthrite déformante, et puis je me suis décidée à l'emmener chez Pasqualina... » « Quant à ma gamine, elle n'en finissait pas de maigrir, il n'y avait plus que la peau et les os, c'est la croissance, qu'ils disaient ! L'âge ingrat, et ils disaient aussi épuisement nerveux, un peu d'anémie, et des ordonnances longues comme ça, avec des médicaments qu'on faisait même venir spécialement de Suisse, et je t'en prescris, et je t'en donne, j'ai fini par en avoir assez et je me suis dit : mais pourquoi tu n'irais pas consulter Madame Pasqualina, et de fait... » Naturellement, chacun ne racontait que des oracles fulgurants qui conduisaient aussitôt à la guérison.

Une autre chose exceptionnelle : quand je demandais mon chemin pour me rendre chez Madame Pasqualina, c'étaient toujours les mêmes indications qui m'étaient données — infraction évidente aux normes habituelles d'inexactitude, particulièrement en Italie : « Au prochain croisement, vous prendrez la route de Macerata, sur cette route à environ un kilomètre, il y a une petite grimpette, et juste après vous prendrez la route de gauche, celle qui n'est pas goudronnée, et puis il y a un passage à niveau, et ensuite, à quelques mètres à peine, vous trouverez la maison de Pasqualina. »

Le passage à niveau était fermé. J'y attendis, en même temps qu'un beau jeune homme en blue-jean sur son tracteur, et lui demandai s'il savait où habitait Madame Pasqualina. Il me montra, de l'autre côté du chemin de fer, le toit d'une maison entre les arbres.

On m'avait prévenu qu'il y avait toujours foule chez Madame Pasqualina et qu'en conséquence il me faudrait attendre. Je fus assez surpris de ne voir âme qui vive, pas même une auto, une moto non plus qu'une bicyclette, devant la maison que m'avait désignée le jeune homme. Surpris et content à l'idée que j'allais pouvoir entrer tout de suite.

Mais j'avais sans doute mal compris les indications du jeune homme. La maison de Madame Pasqualina se trouvait cinquante mètres plus loin et quatre automobiles stationnaient devant la porte, ce qui avec la mienne faisait cinq. Des gens faisaient la queue sur le petit escalier qui menait à la minuscule véranda d'entrée, des gens s'entassaient sur la véranda et d'autres gens emplissaient la salle d'attente. Il y avait là des femmes, des hommes et même des jeunes gens qui semblaient péter de santé par tous leurs pores et dont on se demandait bien ce qu'ils pouvaient venir chercher chez Madame Pasqualina. On me susurra que se trouvait même là, sur les conseils de son époux, la femme d'un médecin réputé.

Il était une heure moins vingt, je demeurai debout près de la porte, afin de pouvoir aborder rapidement la thaumaturge.

La porte s'ouvrit et je me trouvai face à face avec une femme au visage aimable de bonne ménagère : sans doute la secrétaire assistante, pensai-je. Je lui dis que j'étais journaliste et son visage se ferma aussitôt, elle était plus que lasse des interviews, ne désirait aucune publicité, ne recherchait pas de nouveaux clients, bref la leçon

70

habituelle que nous autres journalistes entendons souvent réciter.

Je compris aussitôt que ma ménagère était en fait Pasqualina Pezzolla, et lui demandai : « Bon, d'accord, mais sans interview ni interrogatoire, ne puis-je assister à une de vos consultations ? Je me tiendrai bien tranquille dans mon coin, sans souffler mot. »

Pasqualina répliqua : « Ce n'est pas un problème pour moi, mais il faut que le client soit d'accord. » Et comme elle s'apprêtait à faire entrer un couple âgé, je demandai au mari s'il ne voyait pas d'inconvénient à ce que j'assiste à sa consultation, puisque, à ce que je savais, Pasqualina ne faisait jamais déshabiller ses patients dans la mesure où ses regards pouvaient traverser même les plus lourds vêtements d'hiver.

L'homme répondit : « Ce n'est pas un problème pour moi, mais il faut que ma femme soit d'accord, car c'est pour elle que nous sommes venus, il faut le lui demander, d'autant qu'elle a eu récemment une vilaine dépression nerveuse et qu'il suffit d'un rien pour la mettre dans tous ses états. » J'allai parlementer avec l'épouse qui attendait à l'extérieur sur la véranda et ne voulut naturellement rien entendre.

Je demeurai donc à attendre. Quand elle en eut terminé avec son couple de petits vieux, Madame Pasqualina se montra de nouveau à la porte pour annoncer que c'était terminé pour ce matin, et qu'elle reprendrait ses consultations à quatre heures et demie de l'après-midi. Et elle distribua de petits cartons numérotés permettant de respecter l'ordre d'arrivée.

Ainsi, j'étais venu jusqu'à Civitanova spécialement pour connaître Madame Pasqualina et il allait falloir m'en retourner bredouille. Une telle rage me prit que j'en perdis le contrôle de moi-même et m'écriai, exaspéré : « Mais si je ne puis assister comme témoin à vos consultations, vous ne pourrez toutefois refuser de m'examiner, chère Madame ! » A quoi elle répondit : « Mais parfaitement », et je me retrouvai avec un petit carton portant le numéro cinq.

Je me trouvais déjà loin de là, installé dans un restaurant de Civitanova, quand je pris conscience de la bêtise que je venais de commettre. Du coup, mon bel appétit disparut. Et je me mis à maudire le jour où l'idée m'était venue de partir en chasse des guérisseurs. Il est une heure et quart, dans trois ou quatre heures je connaîtrai ma condamnation. Nul besoin d'être grand clerc pour deviner que les rayons X de Madame Pasqualina Pezzolla vont découvrir dans les profondeurs de mon corps un quelque chose de peu avouable. Peut-être même que tout a été organisé à cette fin : l'idée d'écrire cette série d'articles, les renseignements donnés par les amis, ma décision de venir ici à Civitanova, la répugnance de Pasqualina à se laisser interviewer, l'alibi de la dépression nerveuse. S'en aller, fuir, me débarrasser du petit carton numéro cinq ne servirait à rien. Non seulement je me repentirais ensuite de ma lâcheté, mais ma peur en serait décuplée.

Pasqualina Pezzolla reçoit ses clients dans une pièce toute proprette, avec un divan d'angle, une grande table, un buffet et quelques sièges. Le divan et les sièges sont recouverts d'un plastique transparent. Sur le buffet trônent parmi les fleurs une statuette de porcelaine et la photo d'une jeune fille, amie de Madame Pezzolla, morte à la veille de ses noces. Les rideaux à la fenêtre sont en tulle blanc, immaculé.

Pasqualina, d'origine paysanne, doit avoir dans les cinquante-soixante ans. Elle est de constitution robuste, et ses cheveux sont encore tout noirs. Son visage est régulier, sympathique, empreint de bonté. Elle porte aujourd'hui un costume gris-bleu à petits carreaux blancs. Aux pieds, des chaussures orthopédiques. Voici comment elle procède.

Pasqualina ne demande rien à son client, ni pourquoi il est venu, ni de quelles maladies il a souffert dans le passé. Elle le fait s'installer sur une chaise, s'assied en face de lui à moins d'un mètre, fait le signe de croix, se concentre en fermant les yeux, et demeure en cet état de semi-transe jusqu'à la fin de la consultation.

Elle commence par me prendre le pouls, légèrement. Au bout de quelques secondes elle se lève, passe ses mains devant mon visage sans le toucher, effleure à plusieurs reprises mes épaules puis mes cheveux. De la main droite, à paume ouverte, elle bat l'air autour de moi comme si elle éprouvait la consistance d'un coussin.

Ensuite, elle me fait lever, passe ses mains, toujours sans me toucher, sur ma poitrine et autour de mon cou. Elle approche son oreille de ma poitrine, comme si elle allait m'ausculter le cœur. Elle s'accroupit pour sonder, au passage de ses mains, mon ventre, mon bas-ventre, mes jambes. Et puis c'est le tour de mon dos, avec une brève auscultation des poumons.

Maintenant elle examine longuement mes mains, palpe le bout de mes doigts et s'attarde sur le pli intérieur de mon bras qu'elle tâte interrogativement à plusieurs reprises.

Elle me fait asseoir à nouveau. Elle s'agenouille, me fait allonger d'abord une jambe puis l'autre et ses mains en les touchant semblent y chercher quelque chose. Elle se met à murmurer toute une série de mots incompréhensibles, peut-être une prière.

Pour finir, elle me prend la tête entre les

mains, sans serrer, et réunit les miennes sur mes genoux. Elle se rassied, les bras croisés sur la poitrine. Elle est prise de trois violentes secousses. Ouvre les yeux, murmurant : « Ah, mon Dieu... » Et sourit.

Elle demeura ainsi un long moment, me regardant fixement, avec toujours ce doux sourire. Et me revint alors en mémoire ce que m'avait raconté Fellini, à propos d'un petit curé qui s'était fait visiter en sa présence par Pasqualina. Pasqualina lui ayant demandé s'il était venu seul et — après sa réponse affirmative — lui ayant annoncé qu'il avait une tumeur à l'estomac dont il lui fallait se faire opérer, le petit curé avait éclaté en sanglots désespérés.

Me revint également en mémoire ce que m'avait raconté le Professeur Raoul Bocci, de Camerino, qui s'était rendu à Civitanova avec un confrère pour consulter Pasqualina sur le compte d'un ami malade. Et Pasqualina, entrée en transe, avait commencé à parler et à marcher dans la pièce comme si elle montait dans un autocar, parvenait à Camerino, demandait son chemin, arrivait à la maison du malade, sonnait à la porte, entrait, saluait, consultait selon ses façons habituelles. Ensuite, ayant à nouveau ouvert les yeux, elle assurait Bocci qu'elle avait vu, dans le foie de son ami, une sorte d'œuf avec tant de métastases qu'il n'en avait plus que pour deux mois à vivre ; ce qui s'avéra.

Je n'osais rien dire, pour ne pas sembler ridicule, et Pasqualina continuait à me regarder fixement de son air suave comme si elle pensait en elle-même : Pauvre petit, maintenant il va me falloir trouver la façon de te le dire, ce que tu as !

Et puis, elle eut un mouvement de la tête qui semblait signifier : « Allons, au point où nous en sommes, courage : commençons... » Et je sentais mon cœur qui battait furieusement la chamade.

Elle commença par me donner les mêmes informations que m'avait dites le docteur Gustavo Rol, de Turin, quand il m'avait vu pour la première fois : un vieil ulcère cicatrisé au duodénum (ulcère dont je n'avais jamais décelé l'existence). Elle passa ensuite au foie, aux intestins, à tous mes viscères. Je me remis à respirer.

Un peu patraque, en somme, par-ci par-là, comme c'était à prévoir. Mais dans l'ensemble rien de particulier, rien de bien grave. Je me retrouvais dans ce merveilleux état de grâce, de légèreté, que j'avais connu dans mon enfance, au sortir du confessionnal, lavé, débarrassé de tous mes péchés.

Elle voulut bien perdre encore quelques minutes à bavarder aimablement, s'enquérant de différents événements de ma vie passée. Puis elle me tendit la main. Tant de gens l'attendaient encore, à côté ! Et cette même procession tous les sacro-saints jours de la semaine, du matin au soir ! Avec à peine trois mille lires. Et gratuitement pour les pauvres...

Mais je ne puis m'empêcher de me souvenir de son sourire, si bon, si compréhensif. Pasqualina ne m'a-t-elle rien caché ? En voyant ma panique, n'a-t-elle pas préféré me taire la vérité ? Encore aujourd'hui, j'en suis à me le demander.

LE SECRET DE L'AMIRAL

Positano, août 1965.

L'AMIRAL Paolo Aloisi est une des personnes les plus brillantes que je connaisse.

Le mystère que je suis venu chercher près de lui est peut-être une chose infime, une curiosité, une plaisanterie ; il nie farouchement d'ailleurs que ce soit un mystère.

C'est d'ailleurs pour cela que je me trouvais fort embarrassé en me rendant chez lui. N'allait-il pas s'offenser de ma démarche, me mettre à la porte ? Je me trouvais comme quelqu'un qui va interviewer un homme d'Etat, ou un savant, ou un philosophe dans le seul but d'apprendre de quelle façon il fait son nœud de cravate.

Et je pensais : Comment faire pour arriver à lui demander de me montrer sa spécialité ? Sans doute ne tiendrait-il aucun compte de ma démarche. Pour accéder à mon désir, il lui faudrait être un homme extraordinaire, doué d'une bonne dose d'humour — ce qui, en Italie du moins, est fortement prohibé.

Il m'accueillit courtoisement dans sa maison, après un rendez-vous pris par téléphone. Il me fit asseoir.

« Vous allez vous étonner, Amiral, dis-je, mais on m'a assuré que vous... »

« Oui, oui, bien sûr, répondit-il en souriant (il avait aussitôt compris). Nous aurons l'occasion d'en parler... Vous regardez les dessins sur le carrelage ? Oui, plutôt réussis, n'est-ce pas ? Ils ont été faits par Vaccarella... Ils représentent les diverses étymologies qu'on peut donner au nom de Positano. »

Aux quatre coins de la pièce, sur les pavés de brique rouge, étaient encastrés des éclats de faïence colorée qui formaient divers dessins.

« Là-bas, dit-il, c'est la légende de la naïade Pasadena, d'où Positano, dévorée par les monstres marins. »

L'amiral Aloisi est un homme de soixante-cinq ans, d'une grande vivacité qui n'a pourtant rien de maladif. Il porte, attachée autour du cou par un petit cordon de velours noir, une paire de verres de lunettes sans monture dont il joue parfois avec élégance comme s'il s'agissait de monocles. Il était vêtu d'une chemise blanche et d'un short.

« La deuxième fait allusion à la légende catholique du *posa, posa* ! (arrêtez, arrêtez !). En effet, il y eut ici, à Positano, en 1020, une expédition de sarrasins — qui sait si ce n'étaient pas des Livournais ? ou même des Pisans ? A l'emplacement où se trouve l'église maintenant était érigé un couvent de Bénédictins qui prirent une telle dérouillée qu'ils levèrent le camp pour aller fonder une abbaye à Cava dei Tirreni... Comment ? Vous n'y êtes jamais allé ? Ah, mais il faut absolument que vous la visitiez, c'est l'abbaye bénédictine la plus importante après Cassino, trois antipapes y sont enterrés... Bref, on prétend que pendant cette incursion, alors que les sarrasins s'apprêtaient à repartir avec leur butin, qui comprenait un précieux tableau représentant la Madone, l'archange Gabriel est apparu en hurlant « *Posa, posa* ! » tant et si bien que les sarrasins décontenancés ont fini par rendre le tableau. Et puis, au fil des siècles, l'archange est devenu la Madone elle-même et désormais, tous les 15 août, une procession solennelle va de la plage à l'église pour remercier la très sainte Marie de son intervention. »

L'amiral Aloisi a démissionné de la marine à la proclamation de la République. Et il a choisi de se retirer à Positano où il vit seul dans une belle demeure qu'il s'est fait construire juste en dessous de la rue principale. Seul, c'est une façon de parler, tant il a d'amis, sans compter ses deux neveux — des jumeaux — qui viennent souvent le voir.

« Quant à la troisième, dit-il, c'est une histoire très hypothétique. A l'en croire, le nom de Positano dériverait des Paestaniens, c'est-à-dire des habitants de la région de Paestum, chassés par les Grecs au IIIe siècle, et venus se réfugier dans ces montagnes. »

De la maison de l'amiral Aloisi, on peut jouir d'un merveilleux panorama sur Positano et la mer. D'ici, plus particulièrement vers le soir, quand s'allument les lampes, le village semble une immense et fantastique crèche du genre de celles qu'on fabrique pour la Noël.

« Et là-bas ? demandai-je en désignant une quatrième composition. Est-ce encore une nouvelle étymologie ? Que représentent ces deux personnages ? »

Il ne me semblait pas inutile, avant d'aborder le sujet qui me tenait à cœur, d'écouter attentivement l'histoire de Positano. Mais l'amiral n'avait-il pas une autre idée en tête ? En m'entraînant dans toutes ces divagations étymologiques, ne cherchait-il pas à punir avec élégance ma trop indiscrète curiosité ?

« Le premier portrait, expliqua-t-il, est celui du

marquis Paolo Sersale qui a été maire de Positano pendant vingt ans, au grand bénéfice du village d'ailleurs, un marquis *sui generis,* candidat du Parti Communiste. Le second est celui de Mendès France, venu passer ses vacances à Positano il y a dix ans alors qu'il était Premier ministre. On en a tant jasé de par le monde que la renommée de Positano en fut formidablement grandie. Tous les deux, comme vous pouvez le voir, ont le corps qui se termine en queue de sirène. »

Je tentai, avec une prudente diplomatie, de changer le sujet de conversation : « Veuillez m'excuser, Amiral, mais à part Positano et vos souvenirs, est-il vrai que vous soyez capable de... ? »

« Mais oui, évidemment, interrompit-il, toujours souriant. Croyez-m'en pourtant, il n'y a là rien de surnaturel. N'importe qui, avec un peu d'application, peut y parvenir. D'ailleurs, j'attache bien plus d'importance à ce que j'ai fait ici à Positano, pendant plusieurs étés de suite, à l'occasion des fêtes de l'Assomption. »

Et avec un brio fascinant, car Aloisi est un très brillant causeur, il se mit à me décrire les grandioses fêtes costumées organisées et mises en scène par lui, de 1952 à 1959, pour le soir du 15 août : reconstitutions du légendaire débarquement sarrasin, avec la participation enthousiaste de toute la population, irruption des embarcations pirates, assaut du village, rapt de l'épouse du maire, hallucinant embrasement de tout Positano à base de feux de Bengale, de bûchers, de pétards, de brûlots, de projecteurs, de toute la gamme de la pyrotechnie (ensemble à tel point réaliste que, la première fois, le curé de la paroisse se mit à hurler : « Qu'est-ce que vous faites ? Tout le village va être incendié ! »), entrée solennelle, sur le dos d'un éléphant de paille manœuvré par douze hommes, de l'amiral Aloisi déguisé en sultan, vol du tableau sacré, et puis contre-offensive des Positaniens, déroute des Turcs et intervention finale de la Madone obligeant le barbare à restituer le tableau entre les mains de l'évêque.

Tout cela raconté avec une telle fougue qu'on pouvait s'y croire. Et je ne m'étais pas même aperçu que presque une heure s'était écoulée.

« Merveilleux ! dis-je à la fin, mais vous voudrez bien, Amiral, pardonner mon insistance. A dire vrai, je suis venu... »

Il compléta ma phrase.

« ... pour voir l'amiral Aloisi qui fait tenir en équilibre des choses qui, habituellement, ne tiennent pas en équilibre. » Et il éclata de rire. « C'est vraiment pour cela que vous êtes venu ? Alors que c'est tellement simple, que je vais vous expliquer : prenons le plan convexe de n'importe quoi — le rebord d'un verre ou d'une tasse par exemple, ou la pointe d'un parapluie, ou d'un bout de crayon — eh bien, chaque aspérité d'un plan horizontal présente trois points de contact extrêmement rapprochés les uns des autres. Si quelqu'un a l'habileté, qui se cultive facilement, de faire tomber le centre de gravité de l'objet en question sur ces trois points, l'affaire est faite... »

Ainsi, c'était là le secret de l'amiral, pour lequel je m'étais spécialement rendu à Positano. On m'avait dit qu'il était capable de faire tenir debout des bâtons, des épées, des cuillères, des lunettes, des verres, des chaises et des vases posés de guingois, et que tous ces objets demeuraient immobiles pendant des heures, dans l'absurde position où il les avait mis, comme par enchantement. Et je n'y avais pas cru.

« Je veux bien admettre, disait-il, que j'ai une sensibilité particulière. Ainsi, par exemple, quand je commandais les troupes d'assaut, celles qui devinrent par la suite la Dixième Section, et que je m'exerçais moi aussi sous l'eau à califourchon sur les fameux « cochons » — vous vous souvenez quand nous avons coulé les cuirassés anglais devant Alexandrie d'Egypte ? — j'étais capable de demeurer en équilibre sans avoir recours à l'inclinomètre. »

N'y avait-il pas une ombre, une trace de mélancolie chez l'amiral Aloisi ? Enfin quoi ! Un homme qui avait contribué, par son génie de la mécanique, à la mise au point des engins les plus sophistiqués de la guerre maritime sans lesquels aucune grande victoire navale n'aurait eu lieu lors de la dernière guerre ; qui avait inventé entre autres une méthode de camouflage pour les armes automatiques adoptée sur tous nos grands navires ; qui avait commandé et mené au combat les forces de surface dans la mer Rouge ; qui avait organisé pour la Marine, après la perte de l'Afrique orientale, les Services secrets d'Erythrée et lutté contre l'Intelligence Service en enrôlant astucieusement collabos, attentistes et autres spécialistes du double jeu, prenant des risques et mêlé à des aventures dignes d'un James Bond ; n'était-il pas un peu triste, donc, qu'un tel homme dût désormais sa renommée à ses seules capacités de faire tenir une fourchette en équilibre ? En tout cas, s'il en était ainsi, il ne semblait pas en prendre conscience, à en juger par ses sourires et sa cordialité.

« Au demeurant, disait-il, ces amusements ont eu parfois leur utilité. Quand j'ai eu à m'occuper des moyens d'assaut les plus secrets, quand j'ai organisé la radio clandestine en Afrique, et que chaque jour on y jouait sa peau, je ne manquais pas une occasion de m'exhiber dans de petites séances d'équilibrisme. Qui aurait pu imaginer qu'un tel passe-temps pouvait être dangereux ?

Les parapluies, les verres et les chaises m'ont remarquablement servi de couverture, d'alibi. »

Un soir, après la guerre, à l'hôtel Cappucini d'Amalfi, Aloisi était en train de relater quelques-uns de ses hauts faits à une tablée d'amis quand l'amiral anglais Sir Arthur Power, qui faisait escale avec son yacht, s'approcha, intrigué. L'Anglais pointa l'index vers la poitrine d'Aloisi : « *Duilio*[1], n'est-il pas vrai ? » C'était vrai. Ils s'étaient connus à Tarente, au temps de l'occupation des Alliés, alors qu'Aloisi commandait un cuirassé. « Savez-vous que vous êtes responsable d'une de mes plus belles colères ? Cinquante livres sterling que j'ai perdues à cause de vous ! » Et il raconta qu'un officier italien lui avait décrit les stupéfiantes manipulations d'Aloisi, qu'il n'avait pas voulu y croire, et qu'ils en avaient fait un pari ; un de ses collègues anglais (en qui on pouvait avoir toute confiance) lui ayant confirmé ensuite la chose, il avait été contraint de payer l'enjeu.

« Il y eut également de tragiques conséquences. Une seule fois, heureusement. C'était à Brioni, avant la guerre. J'avais, pour faire plaisir à des amis, montré mes talents dans un des salons de l'hôtel, et nous nous en étions allés, laissant en équilibre les chaises, les vases, les bouteilles, les couverts, bref un fort joli spectacle. Mais voici que, sortant de son bridge, arrive la vieille princesse Hohenhole. Elle découvre le tableau, imagine Dieu sait quelle sorcellerie, tombe dans une crise de nerfs et s'évanouit. On lui porte secours, on lui donne des sels, on la met au lit. Elle ne s'en

---

1. *Duilio*, du nom de l'homme de guerre romain Caius Nepos Duilius qui remporta en 260 av. J.-C. la première grande victoire navale lors des guerres puniques (N.d.T.).

est pas relevée, la malheureuse : trois jours plus tard, elle était morte. »

Tout en continuant à raconter ses aventures, cet extraordinaire personnage est sorti sur la terrasse. Adroitement, avec délicatesse, il a installé sur le petit muret un stylo à bille, un verre et une tasse à thé, mis en équilibre théoriquement instable. Maintenant, sur fond de mer, les trois objets se tiennent bien droits, absolument et incroyablement immobiles, le tout faisant penser à l'inquiétante absurdité d'un tableau de Magritte. A la longue, on se lasse de les regarder. Mais n'est-ce vraiment qu'un amusement ? N'y a-t-il pas derrière tout cela quelque autre chose que l'amiral préfère cacher ? Comment se fait-il qu'on n'ait jamais vu personne, qu'on n'ait jamais entendu parler de personne capable d'en faire autant ? Aloisi perfectionne sa minuscule exhibition en installant une cigarette sur le bord supérieur de la tasse. La cigarette, évidemment, elle aussi debout en équilibre.

Je m'étais dit : « Ne se fâchera-t-il pas qu'on lui demande de se livrer à cette activité ? Ne s'offensera-t-il pas ? Aura-t-il suffisamment d'esprit, de sens de l'humour ? Il lui en faudrait une bonne dose. »

Il l'avait.

MELINDA,
SORCIERE SANS LE VOULOIR

Teramo, septembre 1965.

MON ami Franco Manocchia m'a emmené voir la
baraque abandonnée où vécut et mourut la sorcière Melinda. C'est une misérable hutte de montagne, au sol en terre battue, composée de trois
pièces — si l'on peut les nommer ainsi — désormais complètement vides de meubles si ce n'est
une grossière tablette au mur sur laquelle trônait
jadis la marmite aux maléfices. Dans l'âtre,
encore des cendres. Près de la couche de la première pièce, là où elle dormait, une fissure entre
les tuiles de terre cuite mal équarries. C'est par là
que s'est envolée l'âme de Melinda au moment de
sa mort, par vieillesse, à l'âge de 93 ans.

Maman a pleuré à ma naissance, on m'a dit
qu'elle avait pleuré jour et nuit, jusqu'à sa mort
quelques mois plus tard, et je suis persuadée
qu'elle est morte justement à cause de moi, parce
que j'étais née en fille maudite. Il n'en aurait pas
été ainsi si j'avais été un garçon, j'aurais rompu la
chaîne du destin ; un enfant comme tous les
autres, un garçon, un homme comme tous les
autres, paysan, maçon, domestique, ou bien je
serais mort à la guerre, qui sait ! Mais ainsi je ne
serais pas demeurée seule. Septième fille d'une

famille sans garçon, née au septième mois encore entourée de mon placenta, sept et sept, chiffre du mauvais sort. Qui donc est jamais né plus ensorcelé que moi ?

C'est un hameau perdu de pauvres gens sur les contreforts du Gran Sasso, entre les bois, des prés abrupts et de maigres champs. Sans chemin d'accès ni électricité jusqu'à il y a peu d'années. Une douzaine de cases sur les bords d'un chemin boueux et cabossé. Avec quelques autres cahutes dispersées aux alentours. Rien de bien gai, si ce n'est parfois le visage d'un enfant, et le soleil de septembre. L'ancien repaire de Melinda, isolé, surplombe le village.

« La malheureuse, dit Manocchia. Son histoire me rappelle un peu celle de la nonne de Monza. Condamnée depuis sa plus tendre enfance à faire la sorcière comme l'autre avait été condamnée au couvent. Et sans moyen de s'en sortir. Je l'ai connue. »

Mais quand j'étais petite je l'ignorais, personne ne m'en avait rien dit. Evidemment, je ne comprenais pas pourquoi les autres fillettes répugnaient à jouer avec moi, pourquoi les femmes me toisaient du regard à l'église. Me regardait-on parce que j'étais belle ? Non, on me regardait parce que j'étais maudite. Mais je ne connaissais pas encore cette malédiction.

J'avais quinze ans quand une commère me demanda : « Mais le sais-tu que tu es une sorcière ? Née septième fille au septième mois, c'est un signe qui ne trompe pas, tu seras sorcière pour toute ta vie. »

Au lieu de pleurer, en apprenant cela, je sautai de joie. Ainsi commença ma misérable vie. Heureuse de me savoir sorcière parce que, justement

à cette époque, un garçon de Penne m'avait déflo-
rée, séduite et abandonnée ; il était parti au service militaire sans un baiser, sans un adieu, sans
m'envoyer ensuite la moindre carte postale. Et
j'étais allée trouver la bonne femme avec mon
désespoir. Et elle m'avait dit : « Très bien, fais-lui
donc voir tout de suite quelle sorcière tu es, mon-
te-lui un bel envoûtement, viens chez moi, je vais
te montrer comment t'y prendre. »

Elle m'avait montré. Quand le garçon revint du
front, mes sorts étaient cachés dans son oreiller,
et en peu de jours il devint fou d'amour pour moi.
J'avais mis des boucles de mes cheveux, un bouton de ma veste, un bout de torchon souillé de
mon sang. Ainsi me revint-il et m'épousa-t-il bientôt.

Mais j'étais née maudite : il lui fallut s'en
retourner à la guerre et je reçus un mot du Com-
mandement militaire : nous avons le regret de...
Bref, il avait été tué pendant un assaut.

J'eus des jumeaux, deux beaux petits garçons.
Mes fils ! Aussitôt grandis aussitôt partis, chacun
de son côté.

Avec une mère comme moi ? Une mère sorcière ? Plutôt fuir de par le monde. Je ne les ai
jamais revus, ils ne m'ont jamais écrit, peut-être
sont-ils allés en Amérique, qui peut savoir ?

« Oui, je l'ai connue, raconte Manocchia. Une
classique sorcière des Abruzzes, sans rien de
romantique, appliquant les anciennes méthodes
de sorcellerie locale transmises oralement de sorcière en sorcière ; parfaitement consciente du
bien ou du mal qu'elle fait, sans illusions et
sachant qu'elle ne saurait éviter d'aller en enfer.
Seule sauvegarde possible : il faudrait qu'au
moment de la mort, alors que le diable attend

déjà à la porte, quelqu'un fasse un trou dans le toit pour que l'âme puisse s'enfuir par là.

« Mais c'était une brave femme. Ses charmes auront peut-être fait mourir quelques personnes, mais je sais que c'était une brave femme, aussi absurde que cela paraisse. A 83 ans, quand je l'ai connue, ses cheveux étaient encore tout noirs, et luisants comme des plumes de corbeau. Des petits yeux perçants, lèvre inférieure saillante, nez aquilin, elle semblait une sœur de Dante Alighieri. Une expression avenante et tranquille. Autant sa personne était propre, autant sa case était sale. Elle boitait un peu, et ne parlait qu'en dialecte. Les gens la haïssaient et la craignaient ; à tout prendre, c'était eux qui l'avaient voulue ainsi. Seuls les gamins venaient lui lancer des brocards, elle sortait alors, le balai à la main. Mais sans colère. Elle arrêtait la sarabande en souriant. »

La réussite de mes premiers charmes fit le tour de toutes les commères. On m'octroya une pension pour la mort à la guerre de mon mari, mais bien faible. Mes deux bambins avaient faim, et j'avais faim aussi. Je me mis à l'ouvrage.

Je me rendis à Forcella chez un mage réputé qui opérait avec une aiguille à tricoter et guérissait indifféremment des coliques ou du cancer. Mais c'était un brave sorcier qui m'enseigna seulement l'art de faire le bien. J'appris les mauvaises pratiques avec une vieille de Monteprandona, province d'Ascoli Piceno.

Je rentrai ensuite au pays pour opérer. Je n'avais pas encore dix-huit ans.

On commença à venir me voir des villages voisins, par désir de guérir, de gagner, d'aimer, de tuer. Quand on me demandait de faire le mal, je tentais par tous les moyens de refuser ; alors on me criait dessus : « Quelle sorte de sorcière es-tu donc ? » Quand il s'agissait de faire le bien, on me donnait ce qu'on voulait : une gousse d'ail, un billet de cent lires. Mais pour les mauvais sorts mortels, j'exigeais la moitié d'un cochon.

Un jour s'en vint un vieux de la montagne, laid, méchant, père de trois fils, qui voulait que je jette un mauvais sort mortel à une blondinette de son village. Je la connaissais, elle avait à peine treize ans, avec deux belles tresses, des yeux bleus, un minois à croquer. Le vieux s'était attaché à ses basques, elle l'avait éconduit, et il l'avait violée. Les parents avaient porté plainte, le procès allait avoir lieu, et le vieux voulait la mort de la fille pour qu'elle ne puisse témoigner. N'était-ce pas trop demander ? Je répondis que si. Alors l'homme se fâcha tout rouge, se mit à me taper dessus en criant : « Si tu ne m'obéis pas, c'est toi que je tue. » A moitié morte de peur je jetai le mauvais sort, mais pas tout à fait dans les règles. Et ainsi la blondinette ne tomba même pas malade.

« Melinda s'était immédiatement prise de sympathie pour moi, dit Manocchia. Elle est même allée jusqu'à m'expliquer certains de ses sortilèges. Par exemple ceux qui rendent fou, ou aveugle, ou sourd ; elle se servait d'une vague représentation de visage de femme, sculptée dans une racine d'olivier, et surmontée d'une crinière de faux cheveux ; elle y enfonçait des clous là où cela devait agir. Ce simulacre servait également pour les transferts, qui permettent de faire passer les maladies d'une personne à une autre. Et souvent avec succès. Sans doute par l'effet de l'autosuggestion : quand quelqu'un apprenait qu'on lui avait jeté un sort, il finissait par en tomber vraiment malade à force d'y penser, et même à en devenir fou.

« Pour donner le mal d'amour, Melinda réclamait une photo de la personne aimée, un objet ou un vêtement qui avait été en contact avec son corps ; il fallait aussi sacrifier un chevreau et prendre son cœur, et lui mettre des épingles. Elle plaçait le cœur sur la photo et le transperçait avec les épingles. Quant à l'objet de la personne aimée, on le plaçait sous son oreiller.

« Les sortilèges mortels consistaient en un ragoût de racines bouillies, avec infusion de laurier, sang de cochon bouilli mêlé aux menstrues de la femme qui voulait tuer — ou de la semence, s'il s'agissait d'un homme —, à diverses herbes et à de petits morceaux de champignons vénéneux ; le tout devait être versé, en doses infinitésimales, pendant sept jours, dans le café de la victime. Une fois, Melinda m'en a donné un échantillon. C'était une mixture noirâtre que j'ai remise pour analyse dans un laboratoire. Je ne pouvais croire que cela fût d'aucun effet. On m'a pourtant répondu que c'était bel et bien un poison violent.

« Depuis ce jour, je ne l'ai plus revue. Pauvre Melinda. Elle est morte il y a trois ans, en plein été. C'était peut-être la dernière vraie sorcière de toutes les Abruzzes... » Je crois percevoir comme un regret dans la voix de Manocchia. « Oui, celles qui existent encore sont montées de leurs villages dans les villes, à l'Aquila, à Teramo, à Pescara, à Francavilla, elles se sont mises au goût du jour, industrialisées, elles ont ouvert des cabinets de consultation, passent des petites annonces dans les journaux, de misérables magiciennes embourgeoisées. C'est un monde disparu pour toujours. Et des sorcières défuntes, comme dans ce hameau, personne n'aime s'en souvenir volontiers. »

C'est par milliers que j'en ai jetés, des sorts,

tout au long de ma vie, beaucoup de bénéfiques, plus rarement des mauvais, encore plus rarement des mortels. Mais je suis toujours demeurée pauvre comme Job. Les gens ne m'aimaient ni ne me haïssaient, mais il n'en reste pas moins certain que si j'étais sortie pendant la nuit de Noël, quand on fait la chasse aux sorcières, ils m'auraient brûlée vive. Je le savais et je m'enfermais chez moi, plus seule que jamais, tout au long de ces nuits de la Nativité, si nombreuses que j'avais fini par me lasser de les compter.

Mais ce n'était pas tant ce qui provoquait ma peine. Mon désespoir venait de ce qu'à ma mort personne ne se présenterait pour percer un trou dans mon toit, une brèche, une ouverture pour mon âme.

Et pourtant, il y a davantage de bonnes gens en ce monde qu'on ne pourrait le croire. Je me trouvais au lit, sans force, incapable même de bouger, mais les yeux grands ouverts encore, et je sentais le diable qui faisait les cent pas devant ma porte, et qui trépignait d'impatience tant je tardais à mourir, quand soudain deux inconnus sont arrivés avec une échelle de bois, ils ont brisé les tuiles de mon toit, il y ont fait un trou, et ma vieille âme s'est envolée comme un papillon tout neuf.

De sorte que, maintenant, je dors en paix. Merci.

UN VENDREDI
MEMORABLE

San Damiano Piacentino, juillet 1966.

JE suis venu dans ce petit village, entre Parme et Piacenza, pour assister à une apparition de la Vierge.

Depuis le 16 octobre 1964, chaque vendredi à midi, la Vierge apparaît à Rosa Quattrini et lui transmet toute une foule de messages. Quand c'est l'horaire d'hiver, elle apparaît à une heure.

Rosa Quattrini est une paysanne de cinquante-sept ans, mère de trois enfants : un séminariste, une bonne sœur, et un autre qui travaille à Modène et est déjà père à son tour. C'est une créature tout ce qu'il y a de plus simple, c'est tout juste si elle sait écrire son nom, mais on voit aussitôt qu'elle est mue par une force intérieure extraordinaire.

Rosa Quattrini est petite et corpulente, épuisée par tant et tant de maladies. Mais elle se montre pleine de vigueur maintenant et les couleurs de son visage sont celles d'une santé éclatante ; un visage enfantin, de bon gros crapaud.

Voilà pas mal de temps que sa misérable maison voit arriver d'incessants cortèges de pèlerins. On vient même de très loin.

Les premiers pèlerins furent trois cousins de Lucie de Fatima, venus tout exprès du Portugal en toute hâte, neuf jours après la première apparition de la Vierge. Dieu seul sait comment la nouvelle leur était parvenue. Car, bien évidemment, Rosa Quattrini n'avait tenu aucune conférence de presse ni accordé d'interview à la télévision.

Ces faits m'avaient été brièvement racontés par deux charmantes dames de Parme, fort distinguées et dévotes de Rosa Quattrini : Chiara Vigenzi et Giulia Branchi veuve Menotti, qui sont venues m'attendre à l'embranchement de l'autoroute de Fiorenzuola. Après Fiorenzuola on passe par Carpeneto, on longe le champ d'aviation de l'O.T.A.N. et on arrive à San Damiano : une vingtaine de kilomètres.

Ici, tout est demeuré comme à l'ancien temps. On ne voit aucune construction moderne. Et l'on peut découvrir que les vieilles maisons de paysans, même les plus pauvres, même les moins bien entretenues, s'avèrent magnifiques.

Le soleil est limpide. Curieusement, une brise fraîche adoucit l'été de cette vallée du Pô.

Il est à peine onze heures et demie, mais il y a déjà grande presse de femmes venues des environs. Le curé demeure sur la réserve, l'Evêque de Piacenza n'a pas autorisé la célébration de la messe chaque vendredi sur le lieu des apparitions, demandée par la Vierge à Rosa Quattrini. Il a dit que le Saint-Office déciderait. En attendant, d'un vendredi à l'autre, toujours davantage de gens affluent.

Quand nous arrivons, Rosa Quattrini, noyée de baisers, d'embrassades, de supplications, de bénédictions, se trouve au rez-de-chaussée dans une petite pièce tendue de voiles bleus où elle s'est aménagé une sorte d'autel personnel. Elle porte une stricte robe noire, sur la tête un fichu à liséré gris-bleu. Son mari, un homme simple, pas du tout enthousiasmé par ce remue-ménage, prépare dans une autre pièce la table sur laquelle se restaureront les pauvres, tout à l'heure.

Vivement illuminée, une statuette polychrome de la Vierge, haute d'une soixantaine de centimètres, est protégée par un minuscule baldaquin de velours rouge. « Vous voyez ces traces sur le manteau, à côté de la tête ? me dit une femme que je ne connais pas. C'est parce que deux possédées l'ont touchée en cet endroit. »

Au mur, tout autour et au-dessus de la statue, des ex-voto, des portraits de Padre Pio[1], un chemin de croix et, dans un cadre, la photo de deux automobiles horriblement écrasées, avec l'inscription : « Pour avoir été épargnés — Bianca et Adélaïde Melzi d'Eril — Giovanni Cagnasso. »

Une dame s'approche de Rosa, inquiète. « Il y a l'apparition en ce moment ? » Et Rosa répond : « Oui », avec la tranquille assurance d'un chef de gare qui confirme l'arrivée prochaine du train express.

Malgré toute cette foule qui l'attend, Rosa accepte gentiment de parler avec moi. Elle me fait asseoir dans une autre petite pièce, faiblement éclairée : une table avec sa toile cirée, trois chaises, un fourneau à gaz, une vieille radio, une vieille machine à coudre.

Je lui demande de me raconter son histoire.

Rosa se met aussitôt en devoir de me satisfaire. Les antécédents consistent en une affreuse série de calamités. La naissance du troisième enfant a été encore plus pénible que celle des deux premiers : non seulement il a fallu une troisième césarienne mais les suites opératoires n'ont été que des complications sans fin, une opération

---

1. Padre Pio di Pitralcina : célèbre capucin, stigmatisé au début de ce siècle (N.d.T.).

après l'autre, et des années et des années de souffrance permanente. En ce temps-là, la famille habitait dans un autre quartier, non loin d'ici.

« On m'avait ramenée de l'hôpital avec la Croix-Rouge, raconte-t-elle, car il n'y avait plus guère d'espoir. Une fois à la maison, j'ai eu un petit mieux pendant cinq jours, et puis je me suis retrouvée au plus mal, pis encore qu'avant.

« Bref, c'était le 29 septembre, jour de la Saint-Michel... En quelle année ?... Eh bien, cela va bientôt faire cinq ans, c'était donc en septembre 1961.

« Je gisais sur mon lit, sans pouvoir remuer, mon mari était sorti pour aller ramasser des châtaignes. Il n'y avait que ma tante Adèle à la maison. Il faisait très chaud. »

Rosa parle avec l'accent du pays, mais en très bon italien, ce dont elle aurait été incapable il y a seulement trois ou quatre ans : le contact avec toutes ces foules l'a transformée, elle n'est plus la fruste paysanne qui vit la Madone entrer pour la première fois dans sa chambre.

« Vers midi est arrivée une jeune femme qui quêtait. Elle voulait acheter trois chandelles pour le sanctuaire de Padre Pio : cela faisait mille cinq cents lires.

« Mais nous sommes très pauvres, a dit la tante Adèle. Dans cette maison il n'y a peut-être même pas mille lires, et encore on nous les a prêtées. Et la femme répondit : "Il faut quand même donner votre obole."

« Je n'y ai jamais manqué, reprit la tante Adèle, mais vraiment aujourd'hui ce n'est pas possible. Il y a ma nièce Rosa dans la pièce à côté, elle souffre le martyre et il faut la soigner, et nous avons seulement mille lires.

« Où est ta nièce ? demanda la dame. A côté, dit la tante Adèle. Alors la dame est entrée dans ma chambre et m'a vue étendue sur le lit. Allons, m'a-t-elle dit, courage. De quoi souffres-tu ?

« Je suis tout éventrée, on m'a ramenée de l'hôpital à la maison parce qu'il n'y a plus d'espoir. Juste à cet instant, les douze coups de midi ont sonné.

« Alors cette femme m'a dit : "Lève-toi, allons." Et je réponds : "Je n'en suis pas capable." Et elle : "Donne-moi la main." Je lui ai donné une main, mais cela ne servait à rien.

« Alors elle m'a dit : "Donne-moi les deux mains." Je lui ai donné les deux mains et j'ai ressenti une grande secousse. "Allons, lève-toi", m'a-t-elle dit à nouveau. Et je me suis levée et j'ai guéri. »

« Complètement guéri ? »

« Oui, guéri, répond-elle. Toutes mes douleurs avaient disparu. Et depuis lors je me suis toujours bien portée. Jamais plus au lit. »

« Et cette femme, comment était-elle ? »

« Un visage de toute beauté, plutôt blonde que brune. »

« Quel âge ? »

« Dans les vingt-cinq ans. »

« Comment était-elle vêtue ? »

« Pauvrement vêtue. Un fichu bleu clair sur la tête. Une robe grise, tirant sur le bleu. Elle portait un sac noir et disait qu'elle venait de très loin. »

« Et ensuite, cette dame, qu'a-t-elle fait ? »

« Je me suis mise à crier : "Je suis guérie ! je suis guérie !" Mais elle m'a dit : "Tais-toi" et m'a ordonné de réciter un Agnus Dei, et puis cinq Pater, cinq Ave et cinq Gloria, conformément aux instructions de Padre Pio. Je les ai récités et elle m'a mis les mains sur les plaies, et les plaies se sont aussitôt refermées.

« Et puis elle m'a dit : "Va tout de suite chez

Padre Pio." Et je demande : "Mais avec quel argent ? Le propriétaire a pris tout ce qu'il y avait." Et elle : " Alors partez immédiatement d'ici, cherchez une autre maison. Ensuite, il te faudra aller chez Padre Pio."

« Mais je n'ai même pas assez d'argent pour manger, je n'ai pas d'habits pour le voyage. Et elle : "N'y pense pas, quand viendra l'heure, tu auras tout ce qu'il te faudra." De fait, quelque temps après m'est arrivée une lettre sans nom d'expéditeur et qui contenait la somme nécessaire, c'est sûrement le curé qui me l'a fait parvenir. »

« Et comment cette dame s'en est-elle allée ? »

« Ma tante est montée à l'étage pour prendre cinq cents lires et les lui donner. Et puis la dame est sortie. Quand elle s'est trouvée sur le pas de la porte il y avait du monde dehors et Piergiorgio, mon fils, qui jouait dans la rue. Et Piergiorgio l'a parfaitement vue, les autres par contre ne l'ont pas vue, à part mon petit personne ne l'a vue. C'est comme ça qu'elle est partie.

« Mais quand je suis allée à San Giovanni Rotondo — c'était un samedi matin — elle est apparue de nouveau, là, sur la grand-place. "Tu me reconnais ? m'a-t-elle dit. Il te faut annoncer maintenant que je suis la mère des détresses et des consolations. Après la messe, je te mènerai jusqu'à Padre Pio qui te donnera une mission à accomplir." »

Ensuite Rosa raconte comment Padre Pio l'envoya visiter les malades hospitalisés ; et comment deux ans et demi plus tard il la fit revenir pour lui dire : « Désormais ta mission dans les hôpitaux est terminée. C'est un grand événement qui t'attend maintenant. »

« En effet, continue Rosa Quattrini, le 16 octobre 1964, à midi, je me trouvais ici en train de réciter l'Angelus Domini, je priais justement sur cette table quand j'ai entendu une voix qui m'appelait de dehors : "Sors ! Allons, viens, je t'attends !"

« Je sors, et je vois dans le ciel un grand nuage d'or et d'argent tout parsemé d'étoiles et de roses de toutes les couleurs.

« Un globe rougeoyant est sorti du nuage... une boule de feu qui est descendue sur mon perron.

« Alors la Mère céleste, auréolée de lumière, est sortie de ce globe. Elle portait un grand manteau et une couronne d'étoiles, et sur la tête une grande lumière.

« Et elle m'a dit : "Mon enfant, je viens de bien loin. Annonce au monde qu'il doit tout entier prier car Jésus ne peut plus supporter sa croix. Je veux tous vous sauver, tous, les méchants comme les bons, je suis mère de l'amour, la mère de l'humanité entière, vous êtes tous mes fils, je veux tous vous sauver. C'est pourquoi je suis venue avertir le monde d'avoir à prier car les châtiments approchent. Et je reviendrai ici chaque vendredi et je te donnerai des messages que tu devras transmettre au monde."

« Alors j'ai dit : "Mais comment pourraient-ils me croire quand je ne suis qu'une pauvre paysanne ignorante ? Je ne suis pas à la hauteur, on me mettra en prison."

« Et elle a répondu : "Ils te croiront parce qu'en m'en allant je vais te donner un signe. Tu verras. Ces arbres vont se mettre à fleurir."

« Ainsi s'en est allée la Mère céleste, et le poirier, qui portait déjà tous ses fruits... »

Mais trois femmes sont entrées en toute hâte dans la pièce : « Maman Rosa, il faut te dépêcher, viens, Maman Rosa, il se fait tard. »

« Quelle heure est-il ? »

« Une heure moins le quart. »

Elle sourit. Elle se lève. « Eh oui, il faut y aller. Je suis navrée, vous voudrez bien m'excuser, je dois y aller. »

De l'autre côté de la porte, tout est prêt pour l'Apparition.

C'EST AINSI
QU'APPARAIT LA MADONE

San Damiano Piacentino, juillet 1966.

LE poirier sur lequel on assure que la Madone va se poser dans quelques minutes est haut d'environ trois mètres. Son feuillage rejoint celui d'un prunier, beaucoup plus grand, qui porte encore tous ses fruits.

Le 16 octobre 1964, immédiatement après l'apparition de la Vierge à Rosa Quattrini, ce poirier, chargé de fruits, s'est mis à fleurir à l'improviste en abondance. Les fleurs tinrent pendant trois semaines malgré les pluies d'automne. Le lendemain, un rameau du prunier, que la Vierge avait frôlé, selon les dires de Rosa Quattrini, se mit à fleurir également. De nombreux témoignages en font foi.

Est-il vraisemblable qu'un poirier fleurisse ainsi, en dehors de la saison ? Des gens qualifiés ont répondu que oui, qu'un tel phénomène n'avait rien d'extraordinaire. A quoi les tenants du « miracle » rétorquent que, de toute façon, la rapidité de cette floraison a bel et bien été prodigieuse.

Le bout de terrain sur lequel s'étendent les deux arbres, un carré d'environ huit mètres de côté, a été racheté par Rosa Quattrini à une de ses dévotes. On l'a entouré d'une grille.

On a installé un petit plateau métallique peint en blanc à la première bifurcation des branches, à environ un mètre et demi du sol, et sur le plateau un coussin recouvert de soie blanche avec des franges dorées. Les pieds de la Vierge doivent se poser sur ce coussin.

En travers de cette même bifurcation il y a une planche de bois, également peinte en blanc, sur laquelle deux micros ont été attachés avec tout un système d'enregistrement. Un troisième magnétophone est branché un peu plus haut. Pour la première fois dans l'Histoire, la voix de la Vierge va être enregistrée.

Par terre, au pied du poirier, une multitude de petits vases de fleurs, des roses en particulier. Un peu plus loin, l'agenouilloir de Rosa Quattrini.

La scène se présente ainsi : Rosa Quattrini, à genoux, qui récite en italien d'une voix ferme et rythmée son rosaire ; à ses côtés trois fillettes. Tout autour, à l'intérieur comme à l'extérieur de la grille, une petite foule dense qui s'unit à la prière. Des femmes, pour la plupart. Emergent d'entre les hommes un beau vieillard à l'allure très digne, le duc Melzi d'Eril ; un autre monsieur tout maigre, à l'aspect typiquement français : Monsieur Roger Carlier, diplomate belge ; enfin un personnage massif, aux cheveux blancs et au visage bucolique, agenouillé, avec toute une série de décorations sur sa veste (j'apprendrai par la suite que c'est un « guérisseur »). Près de moi, un jeune aveugle émet de puissants et caverneux « Ainsi soit-il ». Le seul qui semble se moquer complètement de tant de ferveur mystique est un type mal fringué affalé sur l'herbe à quelques mètres de la grille métallique ; je le verrai ensuite se mêler à la foule en boitant pour demander la charité : c'est l'ivrogne du village.

On m'a assuré que, depuis le 16 octobre d'il y a

deux ans, la Vierge n'a pas manqué un seul vendredi d'apparaître à Rosa Quattrini. Outre la Vierge, en de nombreuses occasions, se sont également exhibés Jésus, saint Michel archange, saint Joseph, ainsi que d'autres saints ou anges de moindre envergure. Les apparitions du Père Eternel et du Saint-Esprit — on n'a pas manqué de me le faire remarquer — ont été particulièrement fréquentes.

Les assistants ne participent pas à ces visions. Toutefois, deux phénomènes étranges ont été perçus par divers pèlerins. Le premier consiste en un « intense et très délicat parfum » qui diffuserait dans l'air à chaque apparition. Le second est semblable à celui qui a été noté à Fatima : le soleil qui se met à tourner, à vibrer, et à émettre d'immenses rais de lumière dorée, verte et rouge.

Peu à peu, la continuelle répétition de l'« Ave Maria », psalmodié par la foule avec une identité absolue d'accent et de rythme, crée une ambiance magique et tendue. Tout autour, la campagne béatement assoupie sous le soleil. Et parfois, de l'autre côté du mur, là-bas au fond, un camion qui passe. Madame Giulia Branchi, qui s'est si gentiment proposée de m'introduire, désigne à mon intention une porte en bois dans la maison voisine : « C'est derrière cette porte, murmure-t-elle, que se trouvent les possédés. Parfois, même pendant les apparitions, on entend leurs hurlements, leurs épouvantables vociférations. »

Au moment même où Rosa Quattrini dit : « La jubilation du troisième mystère permet de contempler le saint Enfant Jésus dans l'étable de Bethléem », un petit oiseau se pose sur le prunier, exactement au-dessus de sa tête, et se met à pépier de longues notes expressives comme s'il voulait lui dire quelque chose. Mais il s'en va.

Après le premier rosaire, le chœur : « Miraculeuse Madone des roses, nous voulons ton triom-phe ! » Trois fois. On n'entend plus que le ronron-nement du magnétophone et, plus sourd encore, celui des essaims d'abeilles dans leur ruche de l'autre côté de la maison. Il est juste une heure.

Rosa Quattrini se relève. « Touchez ici », ordon-ne-t-elle en guidant les mains des personnes qui l'entourent jusqu'au support du coussin de soie à la bifurcation des branches du poirier. Les trois fillettes, qui ne peuvent y parvenir, s'agrippent à sa jupe.

C'est l'instant. Mais Rosa Quattrini ne tombe pas en extase, ses yeux ne se dilatent pas, aucune modification n'est perceptible en elle. Tout se passe sans à-coup, sans solution de continuité. Sa voix elle-même n'a changé ni d'intensité ni d'ac-cent. Si ce n'est que soudain ce n'est plus Rosa Quattrini qui parle ; c'est la Madone en personne.

« Priez, mes enfants, priez ! J'entends tous vous sauver... Je suis votre mère dans le ciel... Je vous veux tous auprès de moi au Paradis... Je veux que même le Saint-Père vienne s'agenouiller ici à mes pieds... Le Saint-Père arrivera en aéroplane à l'emplacement où devra être construit le sanc-tuaire... Je le veux tout près de moi, lui qui se montre tellement compatissant... Je suis la su-blime médiatrice... N'attachez aucun prix aux cho-ses de ce monde, c'est à l'éternité qu'il vous faut penser, ne doutez plus car je vous enverrai des bataillons entiers d'anges qui vous assisteront, vous consoleront, vous protégeront... Je vous remercie d'être venus à ma gloire de Lurdis (allu-sion à un récent pèlerinage de San Damiano à Lourdes), grâce à ce pèlerinage vous avez conjuré le grand malheur qui devait survenir... Je vous envoie un déluge de roses... Je vous bénis tous, mes fils... Récitez à voix haute, vous aussi les petits enfants. »

L'apparition est-elle terminée ? Qui peut savoir. Rosa Quattrini vient d'enchaîner aussitôt, de sa voix acidulée d'enfant, le second rosaire. Je m'interroge : dans trente ans, qu'y aura-t-il en cet endroit ? La paix solitaire de la campagne sera-t-elle revenue ou bien une immense basilique aura-t-elle surgi, encerclée d'hospices, d'hôtels, de boutiques de souvenirs, investie par un va-et-vient incessant de charters et d'hélicoptères ?

A la fin du second rosaire, voici un nouveau message. Rosa Quattrini, agenouillée, parle maintenant les bras en croix. « Priez, mes chers enfants, je vous le demande à tous, et plus spécialement à ceux qui ont reçu le sacrement... Chacun doit prier selon son état, et prier pour tous les autres, pour les malades de corps et d'esprit, pour les prêtres, pour les bonnes sœurs malades... Et à vous, les petits enfants, je donnerai la force de prier grandement... Vous devez prier pour tous vos compagnons parce que certains sont en état de péché mortel... La Mère céleste supplie tous ceux qui viennent auprès de cet arbre de le couvrir de couronnes de fleurs et la Mère céleste les donnera à qui viendra célébrer ici la première messe.... Le premier samedi de chaque mois, la Mère céleste portera ses lèvres sur les couronnes offertes... »

Et, immédiatement, le troisième rosaire. Rosa Quattrini voit-elle encore la mère du Christ ? On ne s'entend plus. Toutes les femmes groupées ont repris avec fougue leurs oraisons, certaines tout en pleurant.

Les quinze « mystères » sont terminés. « Levez-vous ! ordonne Rosa Quattrini. Mettez les bras ainsi ! » Elle lève les bras en signe d'invocation. « La Mère céleste vous demande, mes chères petites, de porter chacune quand vous reviendrez une rose rouge et une rose blanche, car la rose rouge est symbole de foi et la rose blanche symbole d'innocence... Vous ne devez plus m'apporter de boissons, c'est la Mère céleste qui pense à moi... Et maintenant, je vous donne toute ma bénédiction. » Elle s'agenouille, ils s'agenouillent. Les Kyrie Eleison, les litanies lorettanes, encore un Ave Maria, un Pater, un Gloria, enfin l'hymne de Lourdes.

La petite foule se sépare dans une atmosphère de liesse. On se presse autour de Rosa Quattrini : « Elle était contente, la Madone ? » « Oui, répond-elle. Oh, que je suis heureuse ! » « Mais elle était vraiment contente ? » « Avant de s'en aller, explique maman Rosa, elle a ouvert les bras, comme ça... » Et elle fait le geste.

D'étranges discours, de fantastiques confidences s'entrecroisent :

« La veille de Noël, sous le poirier, raconte Madame Paolina Battaglini, à peine l'apparition s'était-elle terminée qu'une amie me dit : « Mais qu'est-ce que c'est ça, encastré dans ton bouton ? » Je regarde et dans les trous d'un des boutons de mon manteau était glissée une feuille du poirier, il fallait vraiment que quelqu'un l'ait fait exprès. J'ai demandé à Rosa qui m'a assuré et que c'était un signe de la Madone. Et je lui ai demandé si je pouvais donner cette feuille à un malade et elle m'a répondu que non, que je devais la conserver avec moi... »

« L'hiver dernier, raconte une autre, j'étais malade et un soir j'ai rêvé que cette statue là-bas s'appuyait sur mon épaule, et le lendemain j'étais guérie. »

Un jeune prêtre, venu de Rovigo avec son père et son frère séminariste, me signale avoir accompagné le pèlerinage de San Damiano à Lourdes. Ils étaient vingt et un. On a appris par la suite — explique-t-il — que devait éclater justement dans ces jours-là une terrible guerre ; mais la catastrophe avait pu être évitée grâce à ce pèlerinage.

Don Gerolamo m'offre même de me faire écouter l'enregistrement d'un des messages que la Madone a délivrés aux quatre fillettes de Garabandal, en Espagne. Entre les apparitions de San Damiano et celles de Garabandal, explique-t-il, il y a grande similitude. Et il en va de même avec les apparitions survenues à Amsterdam ces dernières années, par l'intermédiaire de Madame Ida Peerdeman.

Dans tous ces messages, précise don Gerolamo, la Madone a ordonné l'intensification des prières, et plus particulièrement en ce mois de juillet, car il n'y a pas de temps à perdre, la justice divine ne peut plus guère se retenir, le châtiment est proche. « D'ailleurs le diable me l'a même dit à moi que le châtiment ne saurait plus tarder. » « Le diable ? » dis-je. « Oui, en me parlant par la bouche d'un possédé. »

Une belle jeune femme de Milan raconte, en des termes plutôt hermétiques, qu'elle a reçu un certain nombre de « signes » absolument évidents de la part de la Madone de San Damiano. Entre autres, la première apparition lui avait été indiquée à l'avance, de sorte qu'il lui avait été possible de se rendre sur place à temps. Mais elle se refuse à me donner davantage de précisions.

Une autre dame dit : « Quant à moi, je n'ai assisté à aucun fait extraordinaire. Je viens ici seulement parce que je trouve que Rosa prie tellement bien ! »

LA BELLE POSSEDEE

San Damiano Piacentino, juillet 1966.

EN ces fameux vendredis, quand la Madone apparaît à Rosa Quattrini, des hommes et des femmes
qui se disent possédés du démon viennent aussi à
San Damiano. Ils espèrent, à défaut de se retrouver complètement libérés, en tirer quelque soula-
gement ; ce qui d'ailleurs s'est effectivement produit en de nombreuses occasions.

Vers trois heures de l'après-midi, alors que la
petite foule qui a assisté à « l'apparition » s'est
déjà dispersée et que je m'apprête à retourner à
Milan, Madame Giulia Branchi, qui m'a accompagné jusqu'ici, m'informe que là-bas, dans l'écurie,
don Gerolamo est en train d'exorciser les possédés et que je puis assister à la scène si je le
désire.

Don Gerolamo est un jeune prêtre de Rovigo,
réputé grand exorciste. Il est venu accompagné de
son frère, un séminariste plus maigre et plus souriant que lui.

Quand je pénètre dans l'écurie — qui n'est pas
à proprement parler une écurie mais plutôt un
grand local comme on en trouve toujours dans
les vieilles maisons de campagne, et où sont
amoncelées quantité de choses hétéroclites, des

fagots, des bottes, des bouteilles, des matelas, d'énormes marmites, des outils — cinq femmes sont agenouillées sur un grand tas de paille fraîche et don Gerolamo, debout devant elles, le rituel des sacrements en main, est en train de terminer la litanie de tous les saints.

On m'apprendra par la suite que, sur les cinq femmes, seulement trois sont « possédées par les démons » : une bourgeoise quinquagénaire aux cheveux teints en blond-roux, une petite fille grassouillette d'environ quatorze ans, aveugle depuis longtemps, et une belle fille un peu trop maigre de vingt-deux ans que je nommerai Ghita parce que je n'ai aucune raison de livrer son véritable nom.

Elles se comportent toutes les trois de façon tout à fait normale ; elles ont les mains jointes et, le visage compassé, répondent aux invocations du prêtre, de sorte qu'on peut vraiment se demander ce qu'elles sont venues faire ici.

Si ce n'est qu'à peine les prières de préparation terminées, don Gerolamo, s'étant approché d'elle, Ghita ferme les yeux et commence ce qui, de prime abord, pourrait sembler la comédie d'une fille irrespectueuse qui se divertit à faire enrager les grandes personnes.

« Qui es-tu ? lui demande le prêtre. Es-tu Ghita ? »

Elle, les yeux toujours fermés, fait signe que non. Et ses lèvres se contractent exactement comme si elle se retenait pour ne pas éclater de rire.

DON GEROLAMO : « Combien êtes-vous ? » (Il fait allusion au nombre de diables qui sont entrés dans le corps de la jeune fille.)

Ghita pointe son index gauche.

DON GEROLAMO : « Seulement un ? Tu es ce petit misérable que Satan a calotté ? Tu es ce propre à rien ?... Où te trouves-tu maintenant ? Dans quelle partie du corps es-tu ? » (Il présente un petit crucifix à Ghita, et elle, comme pour le fuir, se recule violemment, et il semble qu'elle a de plus en plus de peine à s'empêcher de rire.)

DON GEROLAMO : « Je t'ordonne de te lever (il approche la croix du cou de la jeune fille, qui sursaute). Ainsi donc, tu es là ? Ouvre les yeux... (la jeune fille se met à haleter et le prêtre lui met une main sur l'épaule). M'entends-tu ?... Ouvre la bouche, immonde créature ! (la jeune fille émet un gémissement). M'entends-tu, coquin ? Parle, je te l'ordonne, je sais que tu n'es pas muet... Dis-moi : qui est venu ici ce matin ? (allusion à la Madone, après laquelle Ghita se met à crier « Bououh ! » comme si on venait de lui faire une brûlure). Qui était-ce ? Etait-ce Jésus-Christ ? Etait-ce saint Michel ? (Ghita ne répond rien)... Dis-moi si ce matin est vraiment apparue (Ghita l'interrompt d'un signe affirmatif de la tête)... Tu es fatiguée ?... Ce sont les prières qui t'accablent ? »

Ce n'est pas un discours continu car don Gerolamo le parsème de lectures des formules consacrées, qui sont fort longues. Il a maintenant délaissé Ghita pour un instant et se retourne vers la dame blond-roux qui semble, s'il faut en juger par ses réactions, détenir en son corps au moins trois fois plus de diableries que la jeune fille. Quand le prêtre la touche avec sa croix, elle geint, toussote, sanglote, se jette à terre en se contorsionnant comme un serpent.

Mais don Gerolamo revient à Ghita qui ouvre finalement la bouche pour faire des rires moqueurs et des singeries avec la langue.

DON GEROLAMO : « Allons, je te l'ordonne, fais profession de foi avec nous. Répète : *Credo in Deum Patrem omnipotent...* (Ghita se met à siffloter). Qui donc t'a appris à siffler ? Tu comprends le latin ? (il l'asperge d'eau bénite pendant ce temps avec son goupillon : le tailleur de soie à petites fleurs bleues et la chemisette noire sont complètement trempés désormais). Tu es fatigué ? Combien êtes-vous ? Tu veux sentir le feu ?... (la jeune fille se débat). Sais-tu qui est derrière moi ? C'est la Madone, qui va t'aplatir le museau... (Ghita prononce enfin des bribes de mots incompréhensibles)... Mais qui te fait parler ?... Quand seras-tu vaincu par Celle qui est venue aujourd'hui sur le poirier ? (Ghita reprend ses rires)... Tu as toujours été le plus petit, bon à rien... Maintenant je vais t'assener un grand exorcisme... Oh, saint Michel archange, mets en déroute cet avorton ! (Tout en parlant il a touché Ghita qui se met à crier : « Non, non ! Pouah ! »)

Mon soupçon que la jeune fille joue la comédie s'estompe. Il est évident qu'il y a quelque chose qui ne va pas bien en elle. Sa maman, le rosaire entre les mains, agenouillée sur la paille derrière le prêtre, la regarde avec tendresse. Etrange, plus cette curieuse scène se prolonge, plus le visage de cette « possédée », déjà plaisant au naturel, devient d'une grande beauté. C'est un visage mince, moderne, entouré de cheveux noirs coupés très court.

DON GEROLAMO : « Veux-tu goûter un peu à l'enfer ? Donne-moi la main... (elle refait ses singeries avec la langue). *Exorciso te, immundissime spiritus, omnis incursio adversarii, omne phantasma, omnis legio : in nomi Domini nostri Jesu Christi eradicare et effugare* (elle rit, elle crache, grimace, fait des signes de dénégation)... C'en est assez, obéis, à genoux, maudit. »

GHITA : « Non, sale cochon. »

DON GEROLAMO : « *Exorcisamus te...* »

GHITA : « Sale cochon, arrête ! »

DON GEROLAMO : « ... *Audi ergo et time, satana, inimice fidei, hostis generis humani, mortis adductor...* »

GHITA : « Non, non et non... Va-t'en en trouver une autre... ! Tu ne vois donc pas comme tu es en sueur, sale cochon... Personne n'est aussi répugnant que toi... Je n'en puis plus, arrête, porc... Laisse-moi aller, si tu ne veux pas que je blasphème... »

Finalement, à force de patience, le prêtre est parvenu à mettre son étole violette autour du cou de la « possédée » et, infatigable, il se met à lire à voix haute :

« *Adjuro te, serpens antique, per judicem vivorum et mortuorum, per factorem tuum, per factorem mundi, per eum qui habet potestatem mittendi te in gehennam...* »

Ghita se rejette en arrière sur la paille et crie : « Sortez tous, que tout le monde sorte, à l'exception de la soutane noire !... »

DON GEROLAMO : « A genoux, je te l'ordonne... (il approche de sa bouche une petite tasse emplie d'eau bénite). Ouvre la bouche... Bois... »

GHITA (s'adressant au frère de don Gerolamo qui tient la bouteille) : « Et va-t'en aussi, toi qui n'es même pas consacré... je peux boire toute seule... Ah, ah, tout heureux parce que je bois cette eau ! Cochons... Vous vous amusez, eh ? Spectacle gratuit pour tout le monde !... »

DON GEROLAMO : « *Exi, ergo, transgressor. Exi, seductor, plene omni dolo et fallacia...* » (ll entoure le poignet de Ghita avec le rosaire.)

GHITA : « Ça ne me fait rien ! Ah ! ah ! ah ! »

DON GEROLAMO : « Où étais-tu ce matin ? »

GHITA : « Demandez-le à Ghita... »

Don Gerolamo lui noue l'étole autour du cou.

GHITA : « Tu me le paieras, perroquet (elle est pliée en avant maintenant, prise de longs spasmes, comme si elle tentait de se vider l'estomac). A l'aide, à l'aide, sale porc... C'est la troisième fois que tu tentes de me faire sortir et tu n'y parviens pas !... »

DON GEROLAMO : « ... *quia tu es princeps maledecti homicidii, tu auctor incestus, tu sacrilegorum caput, tu actionum pessimarum magister, tu haeriticorum doctor, tu totius obscenitatis inventor...* »

GHITA : « Remue-toi, sale porc... J'y arriverai, mais il faut que tu m'aides... » (Elle est secouée de violentes convulsions.)

DON GEROLAMO (lui tendant encore une tasse d'eau bénite) : « Bois, bois encore. »

GHITA : « Non, je n'en veux plus. »

UNE FEMME : « Rosa a dit qu'il fallait seulement nous donner de l'eau sanctifiée. »

GHITA (elle boit et puis retourne à ses contorsions et ses efforts) : « Quand je me mettrai à vomir, personne ne doit m'interrompre (le prêtre la touche avec sa croix). Oui, je m'en vais, sale porc, je m'en vais... »

Don Gerolamo asperge encore la jeune fille d'eau bénite en abondance.

Rosa Quattrini entre d'un pas alerte et s'agenouille sur la paille derrière les autres. A haute voix : « Fortement, père, fortement ! N'ayez crainte. »

Ce « fortement » doit signifier, je suppose, intensité, énergie dans les exorcismes.

Mais il semble que cela ne soit plus nécessaire.

A peine Rosa est-elle entrée dans la grande pièce que Ghita a cessé ses convulsions, elle s'est affaissée, tête baissée, comme une bête battue, comme un pneu qui se dégonfle. Elle ne fait plus de grimaces, plus de jurons, elle ne ricane plus, ne crache plus, ne parle plus. Après trois bonnes heures d'exorcismes, ce « tout petit » bon à rien que Satan aime à souffleter s'en est-il allé pour toujours ? Ou n'est-ce seulement qu'un bref répit ?

FETE A LA MAISON
AVEC LE SORCIER

Luvignano (Padoue), janvier 1967.

POUR la fête qu'il donnait dans sa merveilleuse demeure à Luvignano di Torreglio, pas très loin d'Abano, le docteur Vittorio Olceste a eu la plaisante idée d'inviter également un sorcier.

Il s'agit du palais que le savant humaniste Alvise Cornaro, l'auteur des fameux *Discours sur la vie abstinente,* fit construire par le peintre et architecte Giovanni Maria Falconetto, au début du XVIe siècle, pour servir de villégiature aux Evêques de Padoue dont il était administrateur.

C'est un des premiers exemples d'architecture classique en Vénétie. Palladio ne s'était pas encore fait connaître. Il est érigé en haut d'une petite colline, et ses deux orgueilleuses galeries contemplent, impassibles, le singulier panorama probablement unique au monde. De fait, certaines des plus intéressantes collines euganéennes l'entourent qui, dans la mesure où elles sont encore préservées de toute culture et où aucune usine ne souille leur sommet, semblent d'autant plus pures et mystérieuses que leur profil en forme de cône leur donne des allures d'éruptions préhistoriques.

D'évêque en évêque, la demeure finit par tomber entre les mains d'une institution religieuse ; elle se trouvait en piteux état quand Vittorio Olceste s'en porta acquéreur, et il fallut deux pleines années à l'architecte Marcello Checchi pour lui rendre son aspect premier et restaurer ce qui restait encore des merveilleuses fresques honteusement passées à la chaux, et qu'un spécialiste parvint à identifier comme œuvres du peintre hollandais Lamberto Sustris.

Bien qu'il se soit trouvé quelques grincheux pour se gausser de cette restauration, on peut la considérer comme exemplaire et toutes les précautions ont été prises pour éviter, ou du moins réduire au minimum, les injures du modernisme. Ainsi ne voit-on à l'extérieur ni poteaux électriques ni fils du téléphone, les appartements principaux sont presque exclusivement éclairés à la bougie, baignoires et lavabos sont d'authentiques antiquités et même les waters, à la ressemblance des « commodités » de nos aïeux, sont encastrés dans des placards en noyer. Ce « palais princier », pour reprendre le terme du typographe Francesco Marcolini, occupe en fait une place d'honneur sur la liste des 214 édifices de valeur artistique sauvés de la ruine grâce à l'action directe ou indirecte de l'Office des Villes de Vénétie.

Les amis, jeunes pour la plupart, étaient venus de Padoue, de Vicence, de Vérone, Trévise, Venise et surtout de Milan. Après un repas de style rustique (*torresani* à la broche, foie à la Vénitienne, morue à la Vicentine, polenta blanche de la basse vallée), on devait faire un retour à Ruzzante[1], après quatre cents ans, un véritable pèlerinage à

---

1. Angelo Ruzzante (1501-1542), auteur comique interprétant lui-même en dialecte padouan ses pièces, dont *Il Parlamento di Ruzzante,* où l'humour grinçant confine au drame (N.d.T.).

ses sources : en effet Alvise Cornaro s'était lié avec lui d'une telle amitié qu'il avait fait construire à son intention un théâtre à Este où étaient représentées ses comédies. La compagnie padouane justement dénommée « La Ruzzante » devait jouer, dans la mise en scène de Gigi Giaretta, *Il Parlamento*. Le tout suivi d'un petit orchestre, pour la musique légère.

En ce qui concernait le sorcier, il n'était bien évidemment pas question de planifier son programme. Il se nomme Bruno Lava, c'est un homme de 45 ans, fort maigre, un personnage parfaitement bien élevé, qui vit à Trévise où il fait profession de géomètre et d'entrepreneur de travaux publics. Sa réputation de médium exceptionnel est largement reconnue, même par-delà les frontières. On raconte à son propos d'ahurissantes anecdotes, contrôlées par des témoignages irréfutables. Ahurissantes, j'en puis moi aussi témoigner, comme lors de cette séance qui s'était déroulée deux ans plus tôt, à Trévise, chez Bepi Mazzotti, le pionnier de la croisade pour la sauvegarde des vieilles demeures de Vénétie.

Mais pourquoi diantre un sorcier dans une fête de jeunes gens ? Je n'en sais rien. C'était par une froide journée grisâtre. Dès trois heures de l'après-midi on se serait cru le soir, les collines euganéennes semblaient sur leurs gardes. Un gros chat noir baguenaudait sur la terrasse supérieure, surveillant du coin de l'œil les allées et venues des invités. Des lointaines masures, là-bas dans la brume, nous parvenaient de longs hurlements de chiens. L'aspect même de la demeure, à la fois fastueuse et étrange, la clarté engourdie de l'après-midi participaient à cette sorte d'aura magique qu'on discerne assez souvent dans ces régions de Vénétie. Assis, durant le repas, devant une énorme platée de fromage qui s'amenuisait à vue d'œil, Lava racontait comment un esprit — interrogé par lui naguère sur l'avenir d'un certain Carrer de Trévise, atteint d'un cancer — avait répondu : « Je puis faire quelque chose pour lui en ce moment. Dites-lui de se lever et de reprendre une vie normale. » Carrer s'était levé, et avait par la suite complètement guéri. Mais il me semble que le sorcier n'avait pas été en mesure de toucher lui-même au moindre mets : trois splendides filles se relayaient pour assaillir Lava de questions, et il leur répondait avec docilité.

Je ne veux pas prétendre maintenant que tout ait dépendu de Lava. Il n'en demeure pas moins certain que la conscience que nous avions de sa présence a grandement fait monter la tension durant cette journée, jusqu'à l'état de grâce. Certaines fêtes, pour aussi somptueusement organisées qu'elles soient, échouent dans un ennui mortel sans raison apparente. D'autres, de façon tout aussi inexplicable, deviennent chargées d'une tension fantastique au point de sembler issues d'une œuvre romanesque.

C'était comme si, par la grâce d'un invisible Federico Fellini, les personnages les plus triés sur le volet de toute la haute Italie avaient été rameutés là, pour une des géniales *féeries* dont il a le secret. Ou, mieux encore, s'il avait embrigadé leurs fantasmes de telle sorte que dans l'incessant tohu-bohu qui animait toutes les pièces et les escaliers, à la lueur tremblotante des bougies qui faisait osciller les ombres projetées, noyés dans les résonances des musiquettes diffusées partout par de discrets haut-parleurs, dans ce climat extravagant du palais ressuscité, les invités, au paroxysme d'eux-mêmes, comme il advient au cinéma, devenaient un symbole, une accentuation, un raffinement, une sophistication de leur propre personnalité.

Et cette globale sensation de délire venait également de l'extrême variété des personnages, rare assemblage de milliardaires et de pauvres, de nobles et de sportifs, d'industriels, de médecins, d'architectes, de séducteurs professionnels, d'étudiants, de marchands de tableaux, de professeurs, d'époux, de musiciens, d'ascètes, de parasites et, parmi les femmes, un phénoménal échantillonnage de poupées, de bobonnes, de putains, de croqueuses de diamants, d'épouses trompées, d'héritières frustrées, de poétesses préfabriquées, de pythonisses en herbe, de vampiresses, de muses lysergiques, de figures de proue de navire amiral, de gracieuses crétines et de pécheresses de toute trempe. Les hommes, tous en gris, en un négligé artistique, quittes à parfois sembler des clochards, les femmes plutôt qu'en tenue de soirée vêtues chacune selon son caprice du moment, c'est-à-dire masquées, les robes taillées, coupées n'importe comment dans des tissus proprement délirants. Le passage de certains jupons cachant bien peu de chose provoquait, même chez les jeunes *blasés,* d'énergiques remous de nervosité.

Pendant que l'orchestre attaquait à l'étage supérieur l'historique charleston de Lola, une dizaine de conjurés préparaient au rez-de-chaussée tables et sièges pour la séance.

On pouvait craindre que, perdu au milieu de tout ce beau monde, le sorcier ne se récusât. Mais Lava est assez fort pour accepter un tel handicap. Il est pourtant notoire que les esprits rechignent à se manifester dans les foules mondaines et qu'ils préfèrent les maisons solitaires et silencieuses, les souterrains des châteaux, les cimetières de campagne ou les musées d'histoire naturelle.

La première table à laquelle Lava se mesura

pesait pour le moins quarante kilos. Elle se souleva trois fois, retombant si lourdement qu'elle eût brisé, s'il y en avait eu là, les pattes d'un dinosaure.

L'esprit — il s'agissait, à ce qu'affirma le médium, d'un certain Mare, armateur vénitien du XVIIe siècle — récusa également une deuxième table ronde, en vulgaire sapin, jugée trop valseuse.

Il finit par accepter la troisième table, rectangulaire, pas très lourde. Mais il fit clairement entendre qu'en ce lieu, cette pièce dénudée, il n'avait pas envie de travailler. Il préférait une chambre à coucher. On se transféra donc, pendant qu'à l'étage du dessus se diluait la sirupeuse mélodie du *Docteur Jivago,* dans une chambre voisine garnie d'un lit remarquablement sinistre.

Des valses, parfaitement inadaptées à ce public de *shake,* parvinrent de l'étage, suivies d'une ariette des années 30, puis du précieux miaulement des Beatles. Mais Lava ne s'en formalisa guère. Dans certains cas, dit-il, la musique pouvait même être favorable.

Dans l'obscurité — c'étaient maintenant les invectives de Ruzzante qui parvenaient d'en haut — l'esprit annonça, en frappant rageusement la table, qu'une crise institutionnelle allait survenir l'année suivante, que le gouvernement changerait avant les élections, mais que le centre gauche sortirait raffermi de ces élections.

Il affirma que Kennedy avait été tué par deux tireurs et non par le seul Oswald, que Johnson n'était pas coupable, que Johnson était vaguement au courant, que Johnson avait espéré ce dénouement.

Il assura que Mao Tsé-toung serait vaincu, qu'il

mourrait sous dix mois et que nul ne savait encore qui lui succéderait.

De temps à autre, l'esprit demandait que l'on fît de la lumière. Et alors de nouveaux amis frappaient à la porte, entraient, s'installaient dans les coins, les femmes s'empilant sur le lit. Et la norme, le monde positif, la règle rassurante, c'était lui, Lava, le sorcier. Les vrais ectoplasmes, c'étaient les autres, ces larves dépravées qui descendaient par vagues successives, un verre de whisky à la main, en ricanant, mais demeuraient interdites et muettes aussitôt entrées. On n'entendait plus que leur souffle.

Nul ne s'étonnait plus de l'incroyable. Un verre vola dans l'obscurité d'un bout à l'autre de la chambre. Un sabot de cheval creusé en cendrier s'évada d'une étagère pour s'effondrer comme une masse sur la table. Madame Armanda Guiducci sentit une main moite qui lui tripotait les cheveux et qui, après lui avoir enlevé une boucle d'oreille, la lui remit immédiatement entre les mains. Un jeune homme se vit prendre sa montre-bracelet. La romancière Léa Quaretti se mit à crier quand elle sentit qu'on lui tordait un doigt.

Mais il y avait de plus en plus de fantômes en minijupes qui dévalaient l'escalier pour venir s'entasser devant la porte du sorcier impassible. Ce n'était plus une séance de spiritisme mais un congrès. Un ramassis de snobisme compact et rigoureux se congestionnait autour de la table, avec toutes ses misérables angoisses.

Le professeur Silvio Ceccato[1], le philosophe, le cybernéticien, le constructeur de cerveaux, se mit

1. C'est à partir des théories de Ceccato, inventeur en particulier des « machines à percevoir » (et nommé pour l'occasion Ceccatief), que Dino Buzzati a construit son roman *L'image de pierre* (N.d.T.).

à poser, par l'intermédiaire du médium, des questions difficiles :

« Mes conceptions du temps et de l'espace, s'enquit-il, sont-elles justes ? »

Deux secousses agressives de la table répondirent que non.

« Qu'est-ce donc que l'espace ? »

« Une sphère, au centre extérieur. »

« Est-il vrai que le particulier est composé d'un état d'attention suivi de la combinaison de deux états d'attention, suivie à son tour d'un état d'attention ? »

L'esprit répondit que oui.

« Quel rapport y a-t-il entre l'univers et le cosmos ? »

La table tapota rapidement : « Le même rapport qu'entre un piquet et un trou. »

En cet instant précis un hurlement atroce se fit entendre, comme dans les films d'épouvante. Puis un autre hurlement, le bruit sourd d'une chute, une grande confusion : « La lumière ! Faites la lumière ! »

Madame Gae Aulenti, l'architecte, avait soudain été soulevée avec sa chaise par une force irrésistible, puis la chaise avait basculé, lui était passée par-dessus la tête pour retomber enfin en se fracassant sur la table.

Horrible expérience, pourrait-on croire. Mais l'architecte ne broncha pas et se rassit sur un autre siège. L'esprit sembla se lasser. « Sommes-nous trop nombreux ? » demanda Lava. Tac, répondit la table. « Esprit, es-tu là ? » Silence. « Tu t'en vas ? » Tac, répondit la table.

La table ne remuait plus. Il était neuf heures moins le quart et il faisait nuit noire.

L'une après l'autre, les automobiles se mirent en route en direction de Padoue. Personne ne songeait à rire. Les vanités, les leurres, les bêtises, les maléfices, les faux-semblants, les désirs, les remords, les convoitises, les peurs, les luxures, la course à la recherche du vent. Dans l'obscurité, les collines euganéennes ne se voyaient même plus.

UN ESPRIT
DANS LA GRANGE

IL s'agit de cet esprit qui loge dans un vieux bâtiment, près de notre maison de campagne[1]. Au
rez-de-jardin, à moitié enterrée, il y a une vaste
cave avec ses cuves ténébreuses et les outils des
vendangeurs ; au premier étage deux pièces vides
et une grande, et par-dessus le grenier. C'est dans
la grange qu'il se trouve.

Ce n'est pas l'esprit d'un ancêtre, mais simplement d'un vieux fermier, ou plutôt d'un régisseur.
Il est réputé avoir systématiquement fraudé dans
le décompte des mesures de maïs au détriment de
ses patrons, ce pourquoi son âme a été condamnée à demeurer là-haut jusqu'à une échéance que
nul ne connaît.

Les paysans n'en ont pas peur. A tout prendre,
il est des leurs ; et ils le connaissent depuis de si
nombreuses années qu'il n'y a plus guère de raison à s'en émerveiller ou à en faire des histoires.
Ils le considèrent un peu comme un fait établi de
la nature, ni bon ni méchant, qu'il vaut mieux
éviter néanmoins ; comme les taupes, le tonnerre,
ou les chiens enragés.

Une certaine nuit de septembre, nous sommes
allés le trouver avec un de mes cousins. Nous ne

1. Il en a été question dans le premier récit de ce volume :
Palpitations à minuit.

le faisions certainement pas avec une intention maligne, car se moquer d'un esprit est un acte stupide et mesquin. C'était un simple désir de vérification. Mais au fond de notre cœur nous souhaitions vraiment le succès de notre entreprise, en dépit de l'inévitable terreur que nous en éprouvions.

Il nous importait beaucoup qu'il fût là, pour confirmer certaines idées que nous professions ensemble ; pour ne pas encore avoir à renier, à notre âge, les fantaisies superstitieuses de notre enfance ; pour que l'hiver la maison ne demeurât pas complètement vide, après notre départ.

Après avoir laissé au salon toute notre famille incrédule, nous avons traversé le jardin plongé dans l'obscurité. Mon cousin, prénommé Giuseppe, avait apporté une bougie que nous avons allumée en arrivant devant la porte de la grange. Dans le noir, nous n'aurions sûrement pas pu tenir le coup.

Une fois la porte ouverte, nous avons grimpé à la lueur tremblante de notre chandelle jusqu'à un palier de pierre. C'est par là qu'on entrait dans la grange proprement dite. Et nous avons pénétré dans le mystérieux édifice.

Notre lumière ne parvenait pas à éclairer le fond de la grange. Tout était bien en place et tranquille. A terre, les tas de maïs et de blé, une balance sur un côté, dans un coin quelques sacs remplis, dont l'un en équilibre instable, dans une position suspecte. Je m'en suis approché, sans que Giuseppe s'en aperçoive, et d'un coup de poing redressai le sac pour lui donner une allure plus honorable.

Après avoir facilement exploré les lieux, où il était bien difficile que quelqu'un pût se cacher, nous sommes revenus à la porte, nous nous sommes assis sur le palier et nous avons attendu.

Nous étions persuadés que le fantôme ne pouvait se montrer tant que nous demeurions à l'intérieur.

Assis silencieusement, je voyais l'ombre de mon cousin qui se balançait à chaque oscillation de la flamme de sa bougie. Dans le local, à mesure que la nuit avançait, quelque chose d'indéfinissable s'amassait. C'était une émanation indépendante de notre présence et de nos fantaisies humaines. Au reste, même pendant les journées les plus joyeuses, j'avais toujours noté que la solitude de ces lieux semblait excessive ; les rayons du soleil, resplendissant sur le maïs doré, n'étaient d'aucun effet contre la sinistre torpeur qui régnait là. La campagne, les fleurs, les oiseaux, les merveilleux nuages, la joie de vivre de nos compagnons, les autos, pour aussi proche que tout cela fût, à deux pas, devenaient tellement lointains et absurdes.

Maintenant que nous nous trouvions dans la nuit profonde, cette impression se décuplait. Ce qui suintait des murs fatigués, des abîmes de la cave, et même de la nature assoupie, ce qui imprégnait toute la maison était la peur. Non pas de ces terreurs qui peuplent les méandres des châteaux, les garages criminels du Bronx ou les fossés des poudrières. Non, c'était une peur solennelle et antique, et qui parlait sans doute de fantômes mais aussi de chênes vermoulus, de ponts fracassés, de promeneurs éclopés, de chats-huants, de vallons déserts, de cimetières, d'embuscades à la lumière de la lune. Une peur sans objet, étrangère à la méchanceté humaine.

Nous la sentions autour de nous et il était affreux de penser que les vagues échos de la radio qui nous parvenaient du jardin (sans compter quelque chose qui ressemblait au chant ténu des grillons) ne servaient à rien. Nous nous regar-

124

dions par instants, sans parler, pour ne pas rompre l'enchantement de ce silence, propice aux agissements surnaturels. De temps à autre, la flamme de la bougie avait de petits à-coups imprévus, inexplicables, qui nous laissaient perplexes. Dans la grange, de l'autre côté de la porte entrouverte, tout reposait en paix. Soudain j'entendis, pour quelques secondes, le tic-tac de la montre que Giuseppe gardait dans son gousset. Un bref crissement sur les marches de l'escalier. Silence.

D'une petite chapelle voisine s'égrenèrent les douze coups de minuit, une heure bien banale en ville mais toujours vénérable dans les lieux presque inhabités. Les tintements résonnèrent méticuleusement dans tout le bâtiment et il fallut plusieurs secondes pour que leur écho s'efface.

« Silence », murmura mon cousin, sans raison puisque je n'avais aucunement manifesté l'intention de parler. Peut-être le dit-il instinctivement, en pensant aux tintements de la cloche. Ce devait sûrement être l'heure propice. Je sentais battre mon cœur. Aussi discrète fût-elle, même notre respiration troublait nos facultés d'écoute.

Mais rien. La grange semblait aussi morte qu'une pierre, et peu à peu, à mesure qu'approchait le petit jour, les terreurs nocturnes tendaient à s'effacer. Chacun de notre côté, sans en prendre conscience, nous nous étions mis à réfléchir à nos propres problèmes, notre pensée s'évadait de la vieille grange pour vagabonder sur les chemins futurs de notre existence.

Cela ne me plaisait guère. Ainsi donc, voici qu'encore un ami s'en allait pour toujours, une autre illusion qui dépérissait, une nouvelle et blafarde victoire de la raison. Maudite était l'idée qui nous avait poussés à vouloir connaître une certitude. N'eût-il pas été plus sage de demeurer dans nos croyances, gratuitement ? J'en eus assez, à la fin.

« Quelle heure est-il ? » demandai-je à voix basse.

« Une heure et quart », répondit Giuseppe, en se caressant la barbe.

« Est-ce qu'on reste encore ? »

Mon cousin ne répondit pas et demeura immobile et grave, avec son ombre inquiétante qui s'agitait sur le mur. On avait éteint la radio maintenant, là-bas dans le salon, les grillons avaient perdu leur souffle, tout s'était engoncé dans le sommeil et le fantôme ne venait toujours pas ; ces lieux n'avaient donc rien de particulier, sans doute un peu plus solitaires, un peu plus mélancoliques que les autres granges, mais à tout prendre identiques. Dommage.

Nous avions perdu désormais tout espoir et nous étions déjà relevés (il est d'usage de s'exprimer ainsi dans toutes les histoires de fantôme, nous le savions mais la possibilité de changer le cours des choses ne nous avait pas été donnée), nous nous étions donc déjà relevés et Giuseppe avait repris à terre son bougeoir, quand nous parvint, venant de l'autre côté de la porte de la grange, distinctement, un bruit de pas.

Sans se hâter, un être humain venait du fond du bâtiment vers cette porte, derrière laquelle nous nous trouvions. Ses pas résonnaient sur le plancher, bien frappés, réguliers, de plus en plus distincts à mesure qu'il s'approchait de nous.

« L'entends-tu ? » demandai-je à Giuseppe pour m'assurer que je ne rêvais pas ; et je ne reconnus plus ma voix.

« Je l'entends », répondit-il avec un accent que je ne lui connaissais pas.

Toc, toc, toc, il devait se trouver maintenant à mi-parcours. Il y avait justement en plein milieu de la grange un grand tas de maïs et je me demandais comment il avait pu ne pas encore s'y heurter puisque, à l'évidence, il allait son chemin en droite ligne. Il s'approchait toujours. Encore quatre mètres, encore trois, et il était juste derrière la porte. L'aurait-il ouverte ? Nous ne le saurons jamais.

« On ouvre ? » dit mon cousin, pris lui aussi par un sentiment inconnu.

« Oui, on ouvre. »

J'avais dit « on ouvre », mais en fait seul Giuseppe eut le courage de repousser le battant entrebâillé derrière lequel, à moins d'un mètre, se trouvait le fantôme. La porte fut ouverte, le pas cessa, je ne vis personne, Giuseppe ne vit personne. Les tas de maïs gisaient bien sagement à leur emplacement habituel, aucun sac n'avait bougé, aucune empreinte sur le plancher, rien de suspect même dans les recoins les plus sombres de la grange. Il se trouvait là, c'était sûr, mais avait déjà réintégré son essence métaphysique, après cette petite promenade un peu trop humaine. Il se trouvait encore là, et nous regardait peut-être, avec un sourire débonnaire. Qui peut savoir ?

Aucun de nous n'eut l'idée ni le cœur de lui dire au revoir ou quelque chose du même genre, avant de sortir. Après nous être assurés que, hormis nous-mêmes, aucune créature visible ne pouvait être là, nous nous sommes retrouvés dehors, perdus dans nos pensées, avec la bougie qui finissait de se consumer.

Ces derniers temps, il ne s'est plus guère manifesté. Les gens désormais ne le prennent plus au sérieux ; pis encore : ils n'y pensent même plus. Le fantôme de la grange n'a jamais existé, c'est évident, toutes ces histoires ne sont que stupides superstitions. Les humains d'à présent ont d'autres chats à fouetter. Mais, si Dieu le veut, ils finiront tôt ou tard par y croire à nouveau, cela aussi est évident, même si entre-temps il se sera dilué dans le néant.

UN PROPHETE QUI SE TROMPE
SUR LA DATE DE SA PROPRE MORT

JE me trouvais, en invité, dans une villa en plein milieu des bois de la plaine lombarde, quand un soir il y eut une panne de lumière. Il était neuf heures vingt, nous terminions notre repas. Une soirée venteuse et pluvieuse.

Appel téléphonique à la centrale, la centrale manifesta son étonnement, aucune anomalie n'était à signaler, sans doute devait-il s'agir d'une branche brisée par le vent qui s'était abattue dans les fils, tout serait remis en ordre le lendemain matin. Mais, pour ce soir, adieu donc télévision et tourne-disque.

On apporta les bougies, le café fut servi, et puis on passa au salon. Nous n'étions pas vraiment à notre aise. Dehors, dans la nuit, le brouillard, l'humidité et d'étranges ombres semblaient vagabonder.

Les femmes s'empressèrent autour d'un de mes collègues, invité comme moi : Vittorio Beonio Brocchieri, journaliste, écrivain, professeur à l'Université d'histoire des doctrines politiques, peintre et inventeur de la stéréopeinture tridimensionnelle, aviateur, explorateur, conférencier, et je n'ai vraisemblablement mentionné ici qu'une faible part de ses multiples talents.

« Mon cher Beonio, lui dit la maîtresse de maison, sans lumière, la soirée menace d'être bien ennuyeuse. Allons, parlez-nous donc un peu de vos voyages, vous qui avez bourlingué partout de par le monde... »

« Avec plaisir, chère madame, répond-il, mais de quelle partie du monde préférez-vous que je vous entretienne ? »

« A votre choix. Que ce soit un pays adapté à une soirée comme celle-ci, à une maison comme celle-ci, à une obscurité comme celle-ci. »

« Bien, dit-il, tout disposé comme à l'accoutumée, alors je vais vous parler de mes voyages en un pays qui se trouve aux extrêmes confins du monde connu, un pays bizarre et évanescent, dont aucune carte géographique n'a jamais été dressée, et sur l'existence même duquel certains vont jusqu'à émettre les plus grands doutes. Aucun douanier à ses frontières, nul besoin de passeport pour y pénétrer, on y parvient sans avoir besoin de prendre ni le train, ni l'auto, ni l'avion. Pourriez-vous me dire quel pays, selon vous, répond à une telle définition ? »

Tout le monde le regardait avec perplexité et curiosité. Nous étions assis près du feu de cheminée dont les reflets rougeoyants dansaient sur le visage de Beonio, le rendant quelque peu satanique. Jusqu'à ce que je dise : « C'est le pays des esprits. »

Un petit frisson parcourut l'échine des amis réunis dans cette maison solitaire et obscure, perdue au milieu des bois dans la nuit et la pluie.

« Comment as-tu fait pour deviner ? » me demanda-t-il.

« Parce que je te connais ! »

Le pays des esprits : je voulais dire ce vaste domaine dont la caractéristique principale est le mystère, où se retrouvent les esprits proprement dits, les fantômes, les médiums, la métempsycose, la télépathie, les prémonitions, les prophéties, les guérisons miraculeuses, les pouvoirs occultes, la radiesthésie, les dédoublements de personnalité, la réincarnation, les mages, les sorciers, les exorcistes, les hypnotiseurs, les devins, les chiromanciennes, les zombies, les vampires, les spectres, les loups-garous, les ectoplasmes, les diables et toute cette armada de créatures légendaires dont on prétend qu'elles peuplent le monde et le cœur de l'homme.

Parler des esprits fait partie des jeux de société les plus divertissants, bien plus divertissants que le bridge ou la canasta. On l'oublie trop souvent, et des années entières passent parfois sans qu'on ait recours à ce sain et stimulant passe-temps de l'âme. (Sans doute faut-il un lieu et un moment adéquats : parler des esprits à la plage, par une splendide matinée ensoleillée, peut paraître factice et maniéré.)

Beonio Brocchieri a effectué de nombreux voyages dans cet inquiétant et problématique pays. Il a pris bien garde de ne se laisser contaminer ni par les fanatiques qui tiennent n'importe quel phénomène pour une révélation de pouvoir surnaturel, ni par ceux qui vivent dans l'éternelle crainte de « s'être fait rouler » et éliminent *tout court* ce qui sort de leurs possibilités rationnelles d'entendement, assurant qu'il ne peut s'agir que de sornettes et d'impostures.

Ainsi cette soirée, qui se présentait de prime abord comme languissante, et promettait une dispersion générale en direction des chambres à coucher dès dix heures du soir, se transforma-t-elle en un passionnant régal et nous nous trouvions encore, à deux heures du matin, les oreilles tendues à l'écoute d'un Vittorio Beonio Brocchieri en grande forme, et ressemblant plus que jamais à un serpent à sonnettes.

Magie, fanatiques se promenant sur des charbons ardents, prophéties obscures devenues réalité, pendules démasquant des forfaits, intuitions d'événements lointains, diagnostics à distance, rêves prémonitoires, mystérieuses facultés animales : Beonio Brocchieri nous en raconta par dizaines, cette nuit-là ; et à chaque fois, quand il n'en avait pas été le témoin direct, il était en mesure de donner les noms, les dates et les circonstances exactes. Il s'abstint fort heureusement, en raison de la présence des dames, de puiser dans un répertoire macabre et terrifiant, dont il possède pourtant à l'évidence un inépuisable échantillonnage. De toute façon ses anecdotes, même quand elles se référaient aux abysses les plus ténébreux, conservaient une exemplaire correction mondaine.

Trois d'entre elles m'ont plus particulièrement frappé, sans être pour autant parmi les plus importantes. La première avait pour théâtre l'Hôpital général de Lonato. Un soir, une malheureuse paysanne dévorée de tuberculose appelle la bonne sœur et lui annonce qu'elle mourra dans une heure, ajoutant qu'elle reviendra toutefois la même nuit dans ses rêves pour lui révéler la série des cinq numéros gagnants au loto du lendemain. Et il en fut ainsi. L'infortunée meurt une heure plus tard, apparaît en songe à la bonne sœur et lui indique cinq numéros. La sœur se réveille surexcitée, criant les chiffres à ses compagnes : 16, 27, 47, 49, 66. Malheureusement, une panne d'électricité survient juste en cet instant. On cherche en vain une bougie. Finalement, dans une atmosphère survoltée, on finit par trouver une petite lampe à pétrole, à la lueur tremblante de laquelle on finit tant bien que mal par inscrire les numéros fatidiques avec un crayon. Le lendemain matin, dès l'ouverture du bureau, un petit messager est chargé d'aller jouer. Et l'espérance commence. Les heures passent, les bons numéros doivent être sortis désormais, l'angoisse monte, on attend le retour du messager d'une minute à l'autre. Il arrive enfin : ce sont les numéros 16, 27, 47, 49 et 76 qui sont sortis. Soixante-seize et non soixante-six ! Désillusion, amertume, fureur. La dormeuse avait-elle bien compris ? « Je ne sais plus... je crois bien... Il me semble pourtant que la pauvre Maria m'avait bien dit... Pardonnez-moi, je m'y perds maintenant... Elle a dit 76. » « Mais tu as écrit... » « Non, le 66 a été surajouté et cela se voit bien, la mine du crayon s'était cassée et il a fallu inscrire à nouveau le numéro au moment d'aller au bureau de jeux. Qui s'est trompé ? »

La deuxième histoire concernait directement Beonio, et ne présentait en fait rien de bien mystérieux. Mais elle était remarquablement paradoxale. Beonio Brocchieri se rend à Lourdes pour y faire un reportage et, parvenu au terme de son voyage, en ce lieu où les paralytiques se mettent à marcher, où les plaies se cicatrisent, où les souffrances disparaissent, il fait une mauvaise chute et se casse la jambe. Evidemment son infirmité, absolument irrégulière et proprement abusive en terre de guérison, ne pouvait être prise au sérieux. Il y avait des médecins par dizaines, des infirmières par centaines, des béquilles par milliers, mais tout, médecins, infirmières, béquilles, était destiné aux pèlerins poussés par la foi, pas à un braconnier de la douleur. Moralité : il lui fallut se faire porter à bras d'homme jusqu'au train qui le débarqua à Toulouse.

La troisième histoire n'est pas non plus à proprement parler une affaire d'esprits. Mais elle est particulièrement singulière. Beonio Brocchieri, qui s'était mis à nous parler de prémonitions, assura qu'il savait parfaitement quand il allait mourir : cela se passerait exactement en 1976. L'explication était la suivante : « Mon père disait toujours : je suis né en 1872, je mourrai en 1953 parce que je suis demeuré 27 ans célibataire, 27 ans marié, je resterai donc veuf 27 ans. Et il mourut effectivement en fonction du rythme qu'il avait prévu. » Pour lui aussi, Vittorio, il y avait un chiffre fatal : le 37. Et Beonio considérait qu'il lui fallait le multiplier par deux. En conséquence, 37 puis 37 égalent 74...

Evidemment, même ce soir-là, les sceptiques ne se gênèrent pas pour lui demander : « Mais vous y croyez vraiment ? » Et Beonio Brocchieri, pour que les choses soient claires, mettait les points sur les i. Il croyait à ce qu'il avait vu et entendu, ou cru voir et entendre, il ne pouvait mettre en doute les témoignages de certaines personnes au-dessus de tout soupçon. Il se gardait bien toutefois de se référer aux interventions divines. Dans ses interprétations, aux âmes des trépassés, aux messages de l'au-delà, il demeure très réservé. A propos des tables tournantes, par exemple, il pense que toute la réalité des faits à caractère cinétique peut être définie comme étant un « perçu », dont le contenu consiste justement dans l'impression de percevoir une table qui tourne. Il ne concède rien d'autre. Et cette sage prudence fait enrager les spiritistes qui se disent assurés du retour des âmes des trépassés.

« Mais je me demande, dit une dame pas du tout pressée d'aller au lit, au moment même où Beonio s'apprête à prendre congé de nous, je me demande pourquoi vous, qui savez tant de choses extraordinaires, n'en faites pas un livre ? Vous n'imaginez pas le succès qu'il aurait ! »

« C'est bien possible, répond-il. Peut-être que je m'y déciderai un jour. »

De fait, il s'est décidé. Quelques mois plus tard, il a laissé publier, aux Editions Longanesi, un recueil sur le monde des esprits et des mystères : avec toutes les histoires qu'il nous a racontées ce soir-là dans la villa sur le Tessin et bien d'autres qu'il n'a pu nous rapporter car sinon toute la nuit y serait passée. Et vraiment chacune d'elles est plus étrange et fascinante que toutes les autres. (Seul le titre : *Marcher sur le feu*, ne me convainc pas ; c'est une référence directe au chapitre consacré aux « anastenarides » macédoniens, et il me semble qu'il aurait peut-être fallu faire également allusion à tous ces feux qui brûlent sous la croûte banale de notre vie quotidienne. Ne pouvait-il trouver un renvoi plus explicite, plus stimulant ?)

Quant à la date de sa propre mort, à laquelle il fait également référence dans son livre, il faut reconnaître que Beonio Brocchieri n'a pas pris trop grand risque en s'accordant une marge de douze ans, ce qui lui permet comme on dit de voir venir. Mais il ne s'est pas aperçu qu'il avait fait une erreur de calcul. J'aimerais bien savoir pourquoi la règle qui était valable pour son père ne le serait pas également pour lui. Le chiffre fatidique ne doit pas être multiplié par deux, mais par trois. Ainsi donc : 37 plus 37 plus 37, cela fait 111. Et j'espère ardemment qu'en 2011 mes descendants suivront ses funérailles.

Mars 1964.

TROIS HISTOIRES
DE VENETIE

UN de mes amis originaire de Vicence, ville qu'il a quittée depuis de nombreuses années, m'a conté trois curieuses histoires. (J'ai, bien sûr, changé ici tant les noms de lieux que ceux des personnages.)

LA TOUR

Il m'arrive rarement désormais, m'a-t-il dit, de séjourner dans ma ville natale, où nous ne possédons d'ailleurs plus de maison. Quand je m'y rends, je suis hébergé par une cousine éloignée, vieille fille qui vit seule, près des murs Pallamaio, dans un ancien palais tout empreint de mélancolie.

Une aile intérieure de ce palais donne sur le jardin. De mémoire d'homme, jamais personne ne l'a habitée, pas même aux anciens temps bénis. On la nomme — Dieu sait pourquoi — la Tour.

Une légende, toujours vivace dans ma famille, veut qu'un fantôme erre chaque nuit dans ces appartements déserts : celui d'une présumée comtesse Diomira, morte jadis après avoir trop longtemps vécu dans le péché.

Or donc, la dernière fois que je m'y suis rendu, il y a trois ans, sans doute avais-je un peu trop bu, toujours est-il que je me sentais en forme et que j'ai demandé à Emilia de me laisser coucher dans une des chambres hantées.

Elle éclate de rire : « Tu n'es pas un peu fou ? » Et je réponds : « Je ne m'y serais sûrement pas risqué quand j'étais petit mais, l'âge aidant, certaines appréhensions disparaissent. Il est bien possible que ce soit un caprice : fais-moi pourtant ce plaisir, je t'en prie ! Et pardonne-moi d'avance pour le dérangement. »

« Si ce n'est que cela, répond-elle, pas de dérangement. Tu peux choisir entre quatre chambres, dans la Tour. Elles sont toujours préparées, les draps mis et tout en ordre depuis le temps de mes arrière-grands-parents. Le seul inconvénient sera un peu de poussière... »

Elle se fait prier et j'insiste, elle finit par céder.

« Fais comme tu veux, et que Dieu te garde ! »

Et elle m'accompagne en personne là-bas, à la lueur des bougies puisqu'on n'a jamais mis l'électricité dans la Tour.

C'était une grande pièce, avec des meubles Empire et des portraits d'ancêtres dont je n'avais gardé aucun souvenir ; au-dessus du lit, l'inévitable baldaquin.

Ma cousine s'en va. Quelques minutes plus tard, dans le grand silence de la maison, j'entends un pas dans le couloir. On frappe à ma porte. Je dis : « Entrez ! »

C'est une petite vieille, souriante, vêtue de blanc comme une infirmière. Elle m'apporte une carafe d'eau et un verre sur un petit plateau.

« Je suis venue voir si Monsieur n'avait besoin de rien... »

« Non, rien. » Je remercie pour l'eau.

Et elle : « Mais pourquoi donc a-t-on installé Monsieur ici, quand il y a tant de chambres confortables dans l'autre partie de la maison ? »

« C'est moi qui l'ai voulu, par curiosité. Il paraît qu'un fantôme hante cette tour, et j'aimerais le rencontrer. »

La petite vieille hoche la tête : « Quelle curieuse idée, mon bon Monsieur ! Mais ce sont des histoires d'autrefois ; le temps des fantômes est révolu désormais. Surtout maintenant, depuis qu'on a installé un garage juste en dessous, au coin. Non, non, Monsieur peut être tranquille : il dormira tout d'une traite. »

De fait, il en fut ainsi. Je me suis endormi presque aussitôt, et le soleil était déjà haut levé à mon réveil.

Toutefois, en m'habillant, je jette un coup d'œil dans la chambre et m'aperçois que plateau, carafe et verre ont disparu.

Je m'habille, je descends, rencontre ma cousine : « Peux-tu me dire, s'il te plaît, qui est venu cette nuit, pendant mon sommeil, pour reprendre la carafe et le verre d'eau ? »

« Quelle carafe ? fait-elle, quel verre ? »

« Mais voyons ! Ceux que m'a apportés cette gentille petite vieille, juste après que tu m'aies quitté, dépêchée par toi, j'imagine ! »

Elle me regarde fixement : « Tu as dû rêver, mon petit. Mes domestiques, tu les connais tous ; et tu sais bien qu'il n'y a aucune petite vieille parmi eux. »

LA MAGICIENNE

Ma grand-mère, racontait-il, était une femme extraordinaire. Elle avait à peine vingt-sept ans qu'elle dirigeait déjà tout un atelier de tissage de damas, dans les faubourgs de Vicence.

Un beau jour, une de ses ouvrières vient à elle, tout en larmes.

« Rita, que t'est-il donc arrivé pour t'affliger à ce point ? »

L'autre lui avoue qu'elle est enceinte.

« Vraiment ? Et de qui ? » s'enquiert ma grand-mère.

« De Duilio, le neveu du pharmacien. »

« Laisse-moi faire », dit ma grand-mère. Elle rassemble ses quatre-vingts employées, leur explique la situation et leur demande d'aider Rita.

Peux-tu imaginer le tableau ? Quatre-vingts demoiselles, s'attaquant toutes ensemble aux basques d'un malheureux garçon !

Au bout d'un mois à peine le mariage avait lieu. Et sept mois plus tard naissait un beau bébé.

Un mariage qui semble réussi, tout va bien au début. Et puis le garçon devient taciturne, sombre, il fait des scènes, se met à boire, rentre à la maison de plus en plus tard. Elle se tait, comme si elle ne s'apercevait de rien.

Jusqu'à un certain soir où, rentrant du travail, il demande : « Qu'y a-t-il à dîner ? » Et elle : « Je viens juste de mettre à cuire les spaghetti. » « Non, pas de spaghetti, dit-il. Ce soir, je ne veux pas de spaghetti. Fais-moi plutôt du riz. » Et elle : « Il n'y a plus de riz à la maison. » Alors lui : « Va donc en acheter ! »

Elle sort, reste absente à peine une demi-heure. Quand elle revient, son mari a disparu.

Elle demeure éveillée toute la nuit, à l'attendre. En vain. Le lendemain, toujours pas de Duilio. Elle interroge le voisinage, personne ne sait rien.

Un jour passe, deux jours, il ne donne toujours pas signe de vie. Aurait-il eu un accident ? Rita s'en va à la gendarmerie, porte plainte.

Les jours et les semaines s'accumulent, et la jeune épousée se consume de chagrin. Finalement, elle est convoquée à la gendarmerie. « Il a été établi que ton mari s'est embarqué le 5 de ce mois pour le Brésil. Voici le télégramme de Gênes qui en fait foi. »

Enfui donc, parti pour toujours. Rita ne parvient pas à s'y résigner. Elle est sans le sou, sans travail. Heureusement, il y avait ma grand-mère.

Six mois passent et ma grand-mère va la trouver. « Pas de nouvelles ? » « Non, toujours rien... » Alors, ma grand-mère : « Tu sais ce que nous allons faire ? Au point où nous en sommes, il faut s'en remettre à Baù, la sorcière. Allez, oust ! Habille-toi, on y va ! »

Elles se rendent donc chez cette vieille magicienne de Vicence et lui racontent toute l'histoire. Baù, après s'être concentrée, dit à Rita : « Va dans la pièce d'à côté, je te prie, et jette un coup d'œil dans le miroir. »

Dans la pièce voisine, Rita trouve en effet un grand miroir. Et que voit-elle dans ce miroir ? Elle voit Duilio, son mari, tout joyeux et décontracté, en train de jouer aux boules sous une pergola.

Rita se met à crier : « Oh, mon Duilio, où es-tu ? Je me désespère de toi, et tu joues aux boules pendant ce temps ? »

« Ne t'en fais pas, dit Baù, la sorcière. Avant deux mois, ton mari te reviendra. »

Deux mois plus tard, jour pour jour, le voici en effet qui revient à la maison. Et aussitôt rentré, avant même d'embrasser sa femme, il lui demande : « Rita, dis-moi, que m'as-tu fait ? »

« Moi ? Je ne t'ai rien fait. Pourquoi ? »

« Pourquoi ! J'étais bien tranquille là-bas, du côté de Pernambouc, j'avais trouvé un bon emploi, quand un jour, pendant que je jouais aux boules sous une belle pergola avec d'autres Italiens, j'ai senti à l'improviste quelque chose dans ma poitrine, comme un remords, un tourment, une brûlure. Et je n'ai plus connu de répit depuis cet instant, je n'ai pensé à rien d'autre qu'à rentrer. Que m'as-tu fait, Rita, veux-tu bien me le dire ? Peut-on savoir ce que tu as manigancé ? »

« Moi ? répond-elle sans se troubler. Et que pouvais-je te faire, pauvre femme délaissée, avec tout cet océan qui nous séparait ? »

Et lui : « Que m'as-tu fait, Rita ? »

Et elle : « Mais rien, je t'assure, rien... »

SOSIE

Je me souviens d'un certain Gino Bertàn, racontait-il, un bien brave jeune homme, de bonne famille, fils unique, orphelin et fiancé avec une certaine Màrion, une des plus belles filles de Trévise. Mais voilà que cette splendide créature meurt, à peine âgée de dix-huit ans, d'une péritonite ou de quelque chose d'approchant.

Nul ne saurait imaginer dans quel désespoir plonge désormais Bertàn. Il se renferme chez lui, ne veut plus voir personne. Ses amis viennent frapper à sa porte : « Gino, montre-toi au moins, nous comprenons tous ta douleur, mais c'est inutile d'en rajouter. Souviens-toi : tu étais le plus joyeux d'entre nous ! Sans toi notre groupe n'a plus d'âme... » En vain, il ne répond même pas, garde sa porte close, bref un cas pitoyable.

Deux ans passent ainsi, aussi incroyable que cela puisse paraître. Jusqu'au jour où deux amis de toujours parviennent, à force de supplier, à se faire ouvrir. Ils l'embrassent, tentent de le consoler, il ne s'était pas rasé de tout ce temps et n'avait plus que la peau sur les os. « Sois raisonnable, Gino, tu as assez souffert maintenant, ça ne peut plus durer, il est de ton devoir de revenir à la vie. »

Pour l'aider à s'en tirer, les amis organisent en son honneur une belle fête, où ils invitent un tas de splendides filles, avec champagne, musique et réjouissances.

Et il fallait le voir ce soir-là, Gino Bertàn, rasé de frais, avec son costume des grandes occasions : il semblait être devenu un autre, brillant, spirituel comme au bon vieux temps.

Mais à un certain moment de la fête il s'en va à l'écart avec une belle blonde et se met à parler, parler comme seuls savent le faire les amoureux.

« Qui est donc cette blonde ? » demande quelqu'un. Et les autres répondent : « On n'en sait rien, sans doute une étrangère, on ne l'a jamais tant vue... » Ou bien : « Je crois que c'est une amie de Sandra Bortolin ! » Et puis : « De toute façon, fichons-leur la paix. Et rendons grâces à Dieu si cette blonde pouvait lui faire passer ses idées noires. » Et enfin : « Elle est vraiment du type qui lui convient, et ce n'est pas seulement par hasard. Avez-vous remarqué d'ailleurs qu'elle a le même regard que cette malheureuse Màrion ? » « Mais oui, c'est vrai ! Bon sang, ce qu'elle lui ressemble ! »

Et pour tout le restant de la soirée, ces deux-là ensemble, jusqu'à ce qu'enfin la fête se termine, tard dans la nuit, après trois heures du matin.

Il est bien évident que Gino va raccompagner sa belle en auto. Ils sortent, elle est prise d'un frisson sous le vent qui vient de se lever. « Acceptez mon pull-over », dit-il. Et il le lui met autour des épaules.

« Où dois-je vous accompagner, mademoiselle ? » « Par là », répond-elle d'un geste. « Dans quelle rue exactement ? » « Peu importe ! Allez toujours : je vous dirai où vous devez vous arrêter, peut-être que ma famille est encore debout à m'attendre, et je n'aimerais pas qu'on nous voie ensemble... »

142

Ils vont, ils vont par les rues désertes, parviennent dans les faubourgs de la ville.

« Nous y voici, dit soudain la jeune fille. Nous sommes arrivés maintenant. Je vous en prie, ne prenez pas la peine de descendre. Merci pour tout. Et au revoir. »

« Mais votre adresse ? Votre numéro de téléphone ? Nous allons nous revoir, n'est-ce pas ? »

Elle est déjà descendue de voiture, et sourit : « Eh, il faudra bien que je vous rende votre pull-over ! » Elle lui fait encore un geste d'adieu avec la main, et disparaît au premier coin de rue.

Il s'en repart, un peu décontenancé, en direction de son domicile, quand un étrange doute lui vient : « Mais où l'ai-je accompagnée ? En quel endroit était-ce ? »

Il fait demi-tour, revient sur ses pas, retrouve le coin de rue où elle a disparu. Une rue plongée dans l'obscurité. Il allume ses phares. Tout au fond, il y a une grille.

Il s'approche. Son pull-over est accroché à une des piques de la grille. C'est l'enceinte du cimetière où est enterrée Màrion.

Janvier 1967.

LES SOUCOUPES VOLANTES
SONT LE DIABLE
DES TEMPS MODERNES

NUL n'est plus en droit de prendre à la légère les histoires de soucoupes volantes. D'une façon ou d'une autre, les soucoupes volantes sont une réalité. Elles sont même un des phénomènes les plus typiques et les plus intéressants de notre époque.

A dire vrai, le célèbre psychologue Carl Gustav Jung en avait déjà pris conscience dès 1957. Dans son ouvrage intitulé *Un mythe moderne,* il donna des merveilleux engins une interprétation qui fit aussitôt beaucoup de bruit. Traduite en langage vulgaire, elle signifiait que les soucoupes volantes ne sont qu'une projection de l'inconscient. L'humanité pressent obscurément les périls qui la menacent, par exemple la guerre atomique, ou la famine causée par la surpopulation, ou, pis encore, la dépersonnalisation et le nivellement de l'individu par la civilisation de masse. Alors, elle cherche dans le ciel quelque signe de sauvegarde, l'annonce d'un événement extraordinaire qui parviendra à la libérer. C'est ainsi qu'apparaissent les soucoupes volantes, que des témoins solitaires peuvent réellement « voir » même si elles n'existent pas.

Une grosse tête comme Jung reconnaissait donc que les soucoupes volantes sont tout autre chose qu'une stupidité et parvenait à formuler une théorie parfaitement acceptable, même par un profane de mon espèce.

Jung n'avait toutefois pas noté un autre aspect, particulièrement singulier, de ce problème. Je veux dire que, d'une certaine façon, les soucoupes volantes sont le succédané moderne des anciennes puissances infernales, la matière première nécessaire aux pratiques ésotériques secrètes, analogues aux rituels des sorcières.

Il y a quelques semaines, la *Domenica del Corriere,* pour laquelle je travaille, a publié deux photographies prises d'une terrasse de Milan, sur lesquelles on distingue parfaitement, de profil, la silhouette d'une soucoupe volante telle qu'on en a désormais codifié l'apparence : un disque s'amenuisant sur les bords avec, en son centre, une sorte de tourelle arrondie. Vérité ou mystification ? Impossible de s'en faire une idée sûre à cent pour cent.

On pouvait imaginer toutefois qu'une grande partie des lecteurs allait avoir une réaction de rejet et soutenir qu'il s'agissait d'une imposture. Ce fut le contraire qui se produisit. Un déluge de lettres s'abattit de toute l'Italie : des enseignants, des employés de bureau, des ouvriers, des mères de famille. On félicitait la *Domenica del Corriere* de s'être enfin intéressée, après un trop long silence, à un sujet aussi « important » et, par la même occasion, on ne manquait pas de relater par le détail sa propre expérience ou, du moins, ce dont on avait entendu parler.

Alors, pour contrôler certains de ces témoignages et pour recueillir le maximum d'informations dans certaines régions, comme par exemple la Riviera adriatique qui semblerait plus fréquemment qu'une autre visitée par les soucoupes volantes, on décida de dépêcher quelqu'un. Mais mon confrère Renato Albanese, quand il fut arrêté que ce serait lui, fit la fine bouche. « Que voulez-vous que j'y fasse ? ronchonna-t-il. De toute façon, nous savons parfaitement avant même de commencer l'enquête que ce ne sont que des foutaises, des bobards, sinon dans le meilleur des cas des phénomènes d'autosuggestion, des hallucinations, de l'hystérie. »

Bref, il lui semblait que ce serait peine perdue. Mais, comme c'est un garçon discipliné et dévoué au journal, Albanese partit.

Quand il nous revint, une dizaine de jours plus tard, il faisait une telle tête que je ne pus m'empêcher de lui lancer : « Et alors, aurais-tu changé d'avis par hasard ? Tu crois aux soucoupes volantes maintenant ? Ce serait amusant de te savoir converti. Te souviens-tu encore des discours que tu tenais ? »

« Non, répondit-il, j'y crois exactement tout autant qu'avant : autant dire que je n'y crois pas du tout. Je dois pourtant avouer que j'ai été plutôt suffoqué par ce qu'on m'a raconté. Un petit peu comme quand tu te promènes à la campagne et qu'en heurtant du pied une motte de terre tu t'aperçois que c'était en fait une fourmilière. »

Il faut bien reconnaître que tant l'expérience d'Albanese que le monceau de lettres reçues ont révélé l'existence d'un étrange monde souterrain imprégné de fanatisme, d'espoirs, d'illusions, de pseudo-science et même de magie.

Ce sont pour la plupart des gens de parfaite bonne foi. Même si l'on peut prouver qu'il ne s'agissait pas de soucoupes volantes, ils ont vraiment cru les voir. Ce qui leur confère, en règle générale, une sorte de conscience qu'ils ont acquis un privilège, comme s'ils avaient reçu une distinction honorifique.

Ces témoins se caractérisent par une tendance

au mystère. Ils racontent tout ce qu'ils ont vu, par exemple, mais se refusent à donner leur nom, comme si cela risquait de leur provoquer des ennuis, ou bien ils affirment posséder des photographies des soucoupes volantes et parfois même de leur équipage mais ne peuvent les montrer dans la mesure où, affirment-ils, ils en seraient gravement punis.

Ceux qui ont eu la bonne fortune de rencontrer personnellement les passagers des soucoupes volantes se montrent particulièrement réticents. Ils se contentent de laisser entendre qu'un pacte secret — ils ne disent pas lequel — les lie à ces martiens (c'est le nom de « martien » qui est généralement donné à l'ensemble des habitants des soucoupes) ; ils se disent persuadés que les martiens reviendront les voir, en leur portant peut-être un message fondamental pour l'avenir de l'humanité. (Il convient de noter que, dans tous ces récits, les martiens sont parfaitement semblables aux humains, la seule différence étant leur taille : ils mesurent parfois à peine un mètre vingt, parfois deux mètres, quand ce n'est pas deux mètres cinquante. Ils sont revêtus de combinaisons spatiales, casqués, parfaites copies conformes des modèles qu'on peut voir habituellement dans les bandes dessinées de science-fiction.)

Mieux encore : on découvre souvent que ces « amis des martiens » se connaissent entre eux, échangent de la correspondance, des informations, des conseils, mais en s'entourant des plus grandes précautions, comme s'ils se livraient à des activités strictement interdites. Bref, ils se comportent comme s'ils appartenaient à une seule et même secte religieuse.

Menteurs ? Affabulateurs ? Certainement pas. Sans doute trouve-t-on parfois quelque plaisantin qui invente d'absurdes histoires et va même jusqu'à truquer des photographies pour le seul plaisir de faire parler de lui, ou dans l'espoir d'en tirer quelques sous, ou même pour la simple joie de se moquer du monde, ce qui est une motivation parfaitement suffisante. Mais, pour la majorité, il s'agit de personnes parfaitement honnêtes et parfaitement convaincues de ce qu'elles avancent.

Voici bien revenus les sorciers des anciens temps, voici que s'ébauche le mythe moderne avec l'inquiétante fascination des choses interdites. C'était le diable, jadis, la puissance surhumaine susceptible d'accorder des dons miraculeux ou de dispenser des voluptés paradisiaques.

Est-ce que les sorciers croyaient vraiment au diable ? Les étreintes diaboliques étaient-elles une réalité pour eux ? Il me semble qu'il ne peut y avoir aucun doute à ce propos. L'esprit humain est capable de bien pis.

Tous semblables sont les adorateurs de soucoupes volantes. Ils « voient » vraiment ces objets venus du ciel, les photographient (et qui peut savoir si leur appareil photo n'enregistre pas vraiment lui aussi leurs illusions optiques), ils rencontrent des « martiens », avec lesquels ils s'entretiennent dans leur langue maternelle, fixent avec eux de nouveaux rendez-vous, concluent des pactes jalousement conservés secrets.

Sans doute le diable possédait-il l'extraordinaire avantage d'être le hors-la-loi par excellence, l'incarnation absolue du mal ; tenir commerce avec lui procurait aux sorciers et aux ensorcelés le vertige, la griserie des profondeurs sans fin, le frisson de se trouver en danger mortel.

Vus sous cet angle, les rapports avec les voyageurs de l'espace semblent beaucoup moins excitants.

Il n'en reste pas moins, pour ces exaltés, l'impression de se sentir dépositaires d'une vérité que le restant de l'Humanité refuse de reconnaître ou prend en dérision. Il n'en reste pas moins la volupté de l'inconnu, l'espoir de se trouver chargé un jour par ces étrangers de fabuleuses faveurs. Il n'en reste pas moins l'attente — comme dit Jung — d'une puissance surhumaine qui libérera le monde de ses angoisses.

Je sais parfaitement qu'en disant tout cela je m'attire les foudres et l'anathème de la secte. Ils vont m'envoyer des lettres de menaces et d'injures, me maudire. Sans prendre conscience qu'au bout du compte, moi qui écris ces choses, je suis bien plus près d'eux que les autres ; ces autres qui haussent les épaules en souriant, quand ils entendent parler des soucoupes volantes, comme s'il ne s'agissait que du sempiternel et ridicule serpent de mer.

Juin 1962.

IL FAUT NOUS Y RESIGNER :
LES SOUCOUPES VOLANTES
N'EXISTENT PAS

ENCORE une douche froide pour ceux qui s'obstinent à croire aux soucoupes volantes. La mystérieuse dépression creusée dans un champ à Charlton (Wiltshire) n'a pas été provoquée par l'atterrissage d'un véhicule spatial en provenance de Mars ou d'Uranus, comme le soutenait Monsieur Roberto Randall, un pseudo-scientifique, mais par une banale météorite, ce qui a pu être établi, sans l'ombre d'un doute, à l'issue de l'enquête menée par les techniciens de l'armée britannique.

C'était sans doute la première fois qu'un savant mettait en jeu sa réputation et son nom, à l'occasion d'un événement particulier, pour soutenir l'existence des soucoupes volantes. Randall, qui se prétend spécialiste d'astrophysique, affirmait que le cratère avait été creusé par un des éléments du trépied sur lequel reposait le disque monstrueux, contraint d'atterrir à la suite d'une avarie. Il était même parvenu à calculer, Dieu sait comment, les dimensions du phénoménal engin : environ cent cinquante mètres de diamètre. Il ajoutait même qu'on pouvait évaluer son poids à six cents tonnes ; ce qui était particulièrement absurde, dans la mesure où une machine de cette dimension, avec une cinquantaine de passagers —

c'est du moins ce qu'il affirmait —, devait peser des milliers et des milliers de tonnes, à moins d'être construite en carton-pâte, chose hautement improbable.

Et rien de tout cela n'était vrai. Depuis lors, Randall a disparu de la circulation. Il avait affirmé s'être consacré à des recherches du même type en Australie mais, à ce qu'il semble, personne n'a jamais entendu parler de lui en Australie. Bref, il s'avère que ce n'était qu'un fumiste de haute volée, du genre de ce sympathique, charmant et pittoresque Paneroni, qui s'installait à l'entrée de l'Ecole Polytechnique de Milan pour y faire des conférences aux étudiants sur le thème : « Les astronomes sont des crétins, la terre ne tourne pas ! »

L'avouerai-je ? J'avais moi-même beaucoup espéré en l'existence des soucoupes volantes, au début de cette folie collective. Cela aurait été tellement beau, cette porte s'ouvrant sur le merveilleux. Si les martiens, ou tous autres extra-terrestres qu'ils fussent, avaient vraiment existé, tout danger de guerre disparaissait du même coup. Les Etats-Unis et la Russie se seraient automatiquement mis d'accord. L'Histoire aurait pris un autre cours. Il nous aurait fallu changer nos habitudes de vie, nos modes de pensée. L'événement le plus sensationnel depuis que l'Homme est apparu sur terre.

Dans quelle rage les raisonnements mesquins des contradicteurs bien-pensants me jetaient-ils ! Quels stupides préjugés semblaient se cacher derrière leur scepticisme railleur : comme s'il était absurde d'envisager que puissent exister ailleurs dans l'univers des êtres plus savants et plus évolués que nous...

Et j'y ai cru, ou plus exactement je me suis efforcé d'y croire pendant des années. Et je me cramponnais à tous les arguments possibles. Et je tenais pour authentiques certaines photographies complètement trafiquées, qui montraient des soucoupes volantes survolant Milan.

Si ce n'est qu'il m'arrivait parfois, en diverses occasions et pour raisons professionnelles, de fréquenter les véritables témoins, c'est-à-dire ceux qui avaient vu de leurs propres yeux. Et chaque fois, malheureusement, les bras m'en tombaient. Car il n'y avait que trois catégories : ou bien il s'agissait de menteurs sans envergure, ou bien de personnages extrêmement ingénus et impressionnables, dénués de tout sens critique, ou enfin de fanatiques à tout crin. Dans les cas les plus sensationnels — atterrissage de soucoupe avec sortie de martiens et parfois même conversation avec le paysan du cru — on se heurtait à un mur de réticences sitôt qu'on tentait d'aller au fond des choses. « Non, je ne saurais rien vous dire de plus. Je m'exposerais à de trop graves dangers. Il y va de ma vie même... » Quels dangers ? On n'a jamais pu le savoir.

Chez ces étranges personnages, la foi en l'existence des soucoupes volantes a d'une certaine manière pris la place de leur ancienne religion. Certains affirment — et à force de l'affirmer ils ont fini par y croire sans doute possible — que les voltigeurs de l'espace leur ont transmis des messages secrets, annonciations plus ou moins apocalyptiques, qu'il leur faudrait révéler à l'humanité seulement quand sonnerait l'heure fatidique. D'autres assurent, en jurant sur ce qu'ils ont de plus sacré au monde, qu'ils ont assisté sur leur écran de télévision à de grandioses batailles entre soucoupes volantes de factions opposées, et ils expliquent que certaines soucoupes sont dotées de stations émettrices dont les programmes peuvent être captés, dans certaines circonstances particulières, directement sur nos propres postes de télévision. Dépositaires d'un secret extra-terrestre, ils vivent désormais en une sorte de délire béat, persuadés de se trouver à un niveau largement supérieur à nous, larves rampantes, aveuglées par l'ignorance et qui ne savons que sourire, incrédules.

Le professeur Roberto Randall doit être l'un des leurs. Car cette opiniâtre extravagance s'étend dans le monde entier, et même des personnes fort instruites et d'apparence raisonnable en sont contaminées.

Je ne serais guère étonné maintenant si, après avoir lu ces lignes, quelque initié ne recherche contre le blasphémateur que je suis l'intervention de ces puissants seigneurs qui savent voguer d'une planète à l'autre. Afin qu'une soucoupe solidement armée descende sur ma maison, via Vittorio Veneto, pour m'infliger un châtiment bien mérité.

Eh bien, je me souhaite de grand cœur que cela advienne. Même s'il m'en coûte de voir mon appartement dévasté et ma personne rompue. S'il me faut être sincère jusqu'au bout je dois reconnaître que, pour moi aussi, la façon dont les choses se sont terminées à Charlton a été une grave désillusion.

Juillet 1963.

TABLE

DU MÊME AUTEUR

LE DÉSERT DES TARTARES, roman, 1949.
BARNABO DES MONTAGNES, *suivi du*
SECRET DU BOSCO VECCHIO, récits, 1959.
L'ÉCROULEMENT DE LA BALIVERNA, contes, 1960.
L'IMAGE DE PIERRE, roman, 1961.
UN AMOUR, roman, 1964.
EN CE MOMENT PRÉCIS, carnets, 1965.
LE K, nouvelles, 1967.
LES SEPT MESSAGERS, nouvelles, 1969.
POÈMES-BULLES, 1970.
LES NUITS DIFFICILES, nouvelles, 1972.
LE RÊVE DE L'ESCALIER, nouvelles, 1973.
NOUS SOMMES AU REGRET DE..., carnets, 1982.

IMPRIMÉ EN FRANCE PAR BRODARD ET TAUPIN
7, bd Romain-Rolland - Montrouge - Usine de La Flèche.
LIBRAIRIE GÉNÉRALE FRANÇAISE - 14, rue de l'Ancienne-Comédie - Paris.
ISBN : 2 - 253 - 03398 - 7